PRESSES AVENTURE

www.snoopy.com
Paru sous le titre original de : It's a Big World, Charlie Brown

Publié par Presses Aventure, une division de
Les Publications Modus Vivendi inc.
3859, autoroute des Laurentides
Laval (Québec)
Canada
H7L 3H7

Design de la couverture : Paige Braddock, Charles M. Schulz Creative Associates
Infographie : Modus Vivendi
Traduction : Jean-Robert Saucyer
Révision des textes : Jeanne Lacroix

Dépôt légal, 1er trimestre 2003
Bibliothèque nationale du Québec
Bibliothèque nationale du Canada

ISBN : 2-89543-115-9

Nous reconnaissons l'aide financière du gouvernement du Canada par l'entremise du Programme d'aide au développement de l'industrie de l'édition (PADIÉ) pour nos activités d'édition.
Gouvernement du Québec — Programme de crédit d'impôt pour l'édition de livres — Gestion SODEC

C'est la vie,
Charlie Brown

PRESSES AVENTURE

MONSIEUR, VENDEZ-VOUS DES AUTOGRAPHES DE VEDETTES DU SPORT ?

JE VEUX UNE BALLE DE BASEBALL AUTOGRAPHIÉE PAR JOE SHLABOTNIK. QUI C'EST ? MAIS C'EST MON HÉROS !
www.unitedmedia.com

EST-IL ICI ? ALORS DEMANDEZ-LUI D'AUTOGRAPHIER UNE BALLE ET JE L'ACHÈTERAI.

J'AI DÉJÀ EU UNE GAMELLE À L'EFFIGIE DE LASSIE MAIS ELLE NE L'A JAMAIS AUTOGRAPHIÉE.
12-30
SCHULZ

EST-CE L'AUTOGRAPHE DE JOE SHLABOTNIK ? SAPRISTI !
www.unitedmedia.com

OÙ EST-IL ? PUIS-JE LE VOIR ET LE REMERCIER ?

DITES-LUI QUE J'APPRÉCIE L'AUTOGRAPHE.

MÊME S'IL M'A COÛTÉ TOUT CE QUE J'AVAIS.
12-31

SUPER ! JE FERAI L'ENVIE DE TOUS LES FANS DE JOE SHLABOTNIK DU MONDE !
UN FAN CLUB COMPOSÉ DE TOI !
SCHULZ

TU VOIS ? C'EST UNE BALLE AUTOGRAPHIÉE PAR JOE SHLABOTNIK.

J'EN DOUTE, CHARLIE BROWN. CE N'EST PAS L'ÉCRITURE DE JOE.
1-1-97
www.unitedmedia.com

C'EST UN FAUX !
GRANDS DIEUX !

ILS ONT TROMPÉ UN ENFANT ! UN GAMIN CANDIDE, CONFIANT, QUI ADMIRE SON HÉROS.

MOI !
SCHULZ

OUI, MONSIEUR. JE CROIS QUE VOUS M'AVEZ VENDU UN FAUX. CE N'EST PAS L'ÉCRITURE DE JOE SHLABOTNIK.
www.unitedmedia.com

FICHER LE CAMP ? ! VOUS ME VENDEZ UN FAUX AUTOGRAPHE ET VOUS ME DITES DE FICHER LE CAMP ? !

CE QUE JE COMPTE FAIRE ?
1-2-97
© 1996 United Feature Syndicate, Inc.
QUE JE VOUS PRÉSENTE MON CÉLÈBRE CHIEN DRESSÉ POUR L'ATTAQUE.
SCHULZ

HÉ, PETIT ! VEUX-TU DU TRAVAIL ?
DU... QUOI ?
www.unitedmedia.com

VIENS, JE VAIS TE MONTRER. JE NE SENS PLUS MON POIGNET APRÈS TOUS CES AUTOGRAPHES.
TU VEUX DIRE...

BIEN SÛR ! JE DOIS AUTOGRAPHIER TOUS CES TRUCS. ES-TU FORT EN ORTHOGRAPHE ?
© 1996 United Feature Syndicate, Inc.

1-3-97
HIER, QUELQU'UN DE BIEN EMBÊTANT RÉCLAMAIT UNE BALLE SIGNÉE JOE SHLABOTNIK.
JE SAIS ÉPELER SHLABOTNIK.
SCHULZ

© 1996 United Feature Syndicate, Inc.
... ET TON TRAVAIL CONSISTERAIT À M'AIDER À FALSIFIER LES AUTOGRAPHES SUR CES BATTES, BALLONS ET PHOTOS QUE TU VOIS.
VIENDRAS-TU ME VOIR LE JOUR DES VISITES ?
SCHULZ
1-4-97

PEANUTS
par
SCHULZ
© 1996 United Feature Syndicate, Inc.
IL NEIGE ENCORE.
www.unitedmedia.com
OÙ EST TON CHIEN ?
DEHORS.
DEHORS ? !
PAUVRE BÊTE. SEUL DANS LA NEIGE ET LE FROID. JE ME DEMANDE À QUOI IL PENSE.
VOICI LE CÉLÈBRE PATRIOTE QUI MONTE LA GARDE AU CAMP DU GÉNÉRAL WASHINGTON.
1-5-97
SCHULZ

1-6-97
SCHULZ
© 1996 United Feature Syndicate, Inc.
VOICI LA LISTE DES NOMS DES ATHLÈTES. TU N'AS QU'À CONTREFAIRE LEURS SIGNATURES. TU PEUX COMMENÇER PAR LES BALLONS QUE TU VOIS.

QU'EST-CE QUE C'EST ? CE N'EST PAS L'AUTOGRAPHE D'UN BASKETTEUR !

JE NE FALSIFIE PAS LES AUTOGRAPHES. C'EST LE NOM DE MON PÈRE ET IL EST BARBIER.
www.unitedmedia.com

UN BARBIER CÉLÈBRE ?
© 1996 United Feature Syndicate, Inc.

DEMANDE-LUI D'AUTOGRAPHIER UNE ENSEIGNE DE BARBIER. NOUS POURRIONS LA VENDRE.
SCHULZ
1-7-97

NOUS DEVONS DISCUTER.
www.unitedmedia.com

MAIS COMMENT DISCUTERIONS-NOUS PUISQUE TU ES UN CHIEN ET QUE LES CHIENS NE PARLENT PAS ?
WOUF !
© 1996 United Feature Syndicate, Inc.

1-8-97
ABOYER N'EST PAS PARLER.
SCHULZ

1-9-97
PEUT-ÊTRE EST-CE HEUREUX QUE TU NE PARLES PAS.

TU ES DU GENRE QUI PARLERAIT SANS RÉFLÉCHIR, À TORT ET À TRAVERS, QUI DIRAIT CE QU'IL NE FAUT PAS ET QUI PARLERAIT SANS ÉCOUTER AUTRUI.

OU SUIS-JE EN TRAIN DE ME DÉCRIRE ?
SCHULZ

QUAND VERRONS-NOUS LA FIN ?
LA FIN DE QUOI ?

C'EST MA NOUVELLE PHILOSOPHIE. « QUAND VERRONS-NOUS LA FIN ? »
1-10-97

JE SUIS FIER DE TOI. IL SEMBLE QUE TU AIES POUSSÉ TA RÉFLEXION.

QUAND VERRONS-NOUS LA FIN ?
SCHULZ

1-11-97

TU NE PIGES PAS, HEIN ?
SCHULZ

PEANUTS®
par SCHULZ
« MAMAN CHÉRIE, JAMAIS JE N'AI EU SI FROID DE MA VIE. »

VOICI LE CÉLÈBRE PATRIOTE QUI MONTE LA GARDE AU CAMP DU GÉNÉRAL WASHINGTON.

DITES AU GÉNÉRAL WASHINGTON QUE L'UN DE SES HOMMES DÉSIRE LE VOIR.

OUI, MONSIEUR. J'APPORTE UNE SUGGESTION.

PEUT-ÊTRE N'AVEZ-VOUS PAS REMARQUÉ LA QUANTITÉ DE NEIGE AUTOUR DE NOUS...
© 1997 United Feature Syndicate, Inc.
1-12

JE PROPOSE QUE NOUS AMÉNAGIONS UNE PATINOIRE ET QUE NOUS FORMIONS UNE ÉQUIPE DE HOCKEY.

VOIRE MÊME FONDER UN CLUB DE PATINAGE ARTISTIQUE.

NOUS POURRIONS INVITER LES FILLES DU VILLAGE VOISIN À PATINER.

www.unitedmedia.com

JE N'AI PAS PU LUI DIRE QU'IL CONDUIRAIT LA ZAMBONI.
SCHULZ

J'EN AI SOUPÉ DE CES JEUX D'ENFANTS
POURQUOI N'IRIONS-NOUS PAS À PARIS ?
1-13

SI NOUS PRENIONS LE VOL DE MINUIT, NOUS SERIONS À PARIS DEMAIN.

AS-TU DE L'ARGENT ?
J'AI 50 CENTS. NOUS POURRIONS PEUT-ÊTRE VOYAGER EN CLASSE AFFAIRES.
SCHULZ

IL Y A UNE FILLETTE MIGNONNE QUI S'ASSOIT À MES CÔTÉS AU JARDIN D'ENFANTS.
1-14

JE LUI AI PROPOSÉ DE NOUS ENVOLER POUR PARIS.

JE N'AI AUCUNE IDÉE DE L'ENDROIT OÙ PARIS SE TROUVE.
SCHULZ

L'INSTITUTRICE DIT QUE LE DIRECTEUR DEMANDE À TE VOIR.
MOI ? !

1-15

ON M'A DIT QUE LE DIRECTEUR DEMANDE À ME VOIR.

POURQUOI MOI ? JE NE SUIS PERSONNE.

JE N'AI PAS MÊME UN CHIEN.
SCHULZ

ELLE L'A RACONTÉ À SA MÈRE, QUI EN A PARLÉ À L'INSTITUTRICE, QUI L'A DIT AU DIRECTEUR ET J'AI ÉTÉ VIRÉ !

1-18

www.unitedmedia.com

PEANUTS
par
SCHULZ
© 1997 United Feature Syndicate, Inc.
1-19
WHAM !
www.unitedmedia.com
WHAM
INJUSTE. DIX CONTRE UN !
SCHULZ

ON M'A DONC IMPOSÉ UNE JOURNÉE DE SUSPENSION.
1-20

POUR AVOIR SIMPLEMENT INVITÉ CETTE FILLETTE À PARIS. MAIS JE PLAISANTAIS !
www.unitedmedia.com

CROIS-TU QUE JE SUIS FAUTIF ?

NAVRÉ. J'OUBLIE QUE LES CHIENS NE PARLENT PAS.
© 1997 United Feature Syndicate, Inc.

CELA VAUT MIEUX. J'AI DES OPINIONS BIEN ARRÊTÉES.
SCHULZ

ET ILS ONT UN MINISTRE DE LA DÉFENSE ET UN MINISTRE DE L'AGRICULTURE...
1-21
www.unitedmedia.com

MAIS ILS N'ONT PAS DE MINISTRE DES OISEAUX ; DANS CE CAS, TU NE SERAS JAMAIS MINISTRE DES OISEAUX.
© 1997 United Feature Syndicate, Inc.

TRÈS JUSTE. ON S'EN FICHE.
SCHULZ

1-22
© 1997 United Feature Syndicate, Inc.
SCHULZ

BONSOIR, MONSIEUR !
BONSOIR, MARCIE !

SI TU RÊVES DE QUELQU'UN QUE JE CONNAIS, SALUE-LE DE MA PART.

DIS-LUI DE SE RAPPELER LES BONS MOMENTS ET DE M'ÉCRIRE DE TEMPS EN TEMPS.

MARGINALEMENT TARÉE.

MES DOULEURS LOMBAIRES SONT LE FRUIT DU STRESS DU JARDIN D'ENFANTS.

LE STRESS DU JARDIN D'ENFANTS ?
ON EXIGE TROP DE NOUS...

IL FAUT SE SOUVENIR DE NOS NOMS ET TOUT.
ARRÊT

TU N'AS AUCUNE IMPORTANCE, LE SAIS-TU ?

TU N'ES QU'UN GRAIN DE POUSSIÈRE DANS L'IMMENSITÉ DE L'UNIVERS.

ALORS JE FERAIS BIEN DE ME RENDORMIR.

PEANUTS
par SCHULZ
TIENS ! QUELQUES LETTRES PROVENANT DE MAISONS D'ÉDITION.
QUE DIT-ON DE MES NOUVELLES ?
« CHER COLLABORATEUR, QUI VOUS A CONVAINCU QUE VOUS SAVIEZ ÉCRIRE ? VOTRE MÈRE ? »
« CHER COLLABORATEUR, IL SE TROUVE DE PLUS JOLIES PHRASES SUR LES PLAQUES D'IMMATRICULATION. »
« CHER COLLABORATEUR, SI VOUS NOUS FAITES PARVENIR D'AUTRES NOUVELLES, NOUS IRONS CHEZ VOUS POUR VOUS ASSÉNER DES BAFFES. »
« CHER COLLABORATEUR, SI VOUS NOUS ENVOYEZ UNE AUTRE DE VOS IDIOTIES, NOUS CONDAMNERONS NOTRE BOÎTE À LETTRES À L'AIDE DE GROS CLOUS ! »
www.unitedmedia.com
© 1997 United Feature Syndicate, Inc.
1-26
JE LES AI ARCHIVÉES AVEC LES AUTRES.
SCHULZ

OUI MADAME. J'AI PENSÉ QUE VOUS NE VERRIEZ PAS D'INCONVÉNIENT À SA PRÉSENCE EN CLASSE.

UN GAMIN À L'ÉCOLE A PROPOSÉ QUE CHAQUE NOUVEAU-NÉ REÇOIVE UN CHIEN ET UN BANJO.
C'EST MOI.
www.unitedmedia.com

TOUTES MES AMIES TE CROIENT CINGLÉ.
TU N'AS PAS D'AMIES.
1-30
© 1997 United Feature Syndicate, Inc.

SI J'AVAIS DES AMIES, ELLES TE CROIRAIENT CINGLÉ.

© 1997 United Feature Syndicate, Inc.
RÉCAPITULE, CHARLIE BROWN...
EXPLIQUE-NOUS DE NOUVEAU TON IDÉE.
CHAQUE NOUVEAU-NÉ DEVRAIT RECEVOIR D'OFFICE UN CHIEN ET UN BANJO.
À QUOI ÇA LUI SERVIRAIT ?
LE CHIEN POURRAIT APPRENDRE LE BANJO.
1-31

JE DORMAIS COMME UN LOIR QUAND, SOUDAIN, UN DOUTE S'EST EMPARÉ DE MOI.
2-1
www.unitedmedia.com

DE TOI ?
© 1997 United Feature Syndicate, Inc.

TU AS PROBABLEMENT RAISON.

PEANUTS
par SCHULZ
© 1997 United Feature Syndicate, Inc.
www.unitedmedia.com
LE MEILLEUR MATCH DE LA SAISON !
2-2
SCHULZ

J'APPRÉCIE TON POINT DE VUE IDIOT, MONSIEUR.

SCHULZ

CHARLES, ME TROUVES-TU GRINCHEUSE ?
SI JE TE TROUVE QUOI ?

GRINCHEUSE. SI J'AI UN SALE CARACTÈRE.
NON, TU N'ES PAS DU TOUT GRINCHEUSE.
2-6
www.unitedmedia.com

TU VOIS ?
© 1997 United Feature Syndicate, Inc.

QU'EN SAIS-TU CHARLIE ? !
SCHULZ

BONJOUR, GRINCHEUSE.

GRINCHEUSE ? VOICI LA GRINCHEUSE À L'ŒUVRE !

OUILLE ! !
2-7

© 1997 United Feature Syndicate, Inc.
SCHULZ
AMUSANT !
TU ES GRINCHEUSE ET TARÉE, MARCIE.

© 1997 United Feature Syndicate, Inc.
2-8
JE ME DEMANDE QUELLE IMPRESSION ME FERAIT UN LONG VOYAGE.
PEUT-ÊTRE UNE EXCURSION EN MONTAGNE.
COMMENT SAVOIR SI TU AIMERAIS L'EXPÉRIENCE ?
EMMÈNE TON CHIEN.
SCHULZ

PEANUTS
par SCHULZ
OUI, MADAME...
MA DISSERTATION POSE LA QUESTION : OÙ CELA NOUS CONDUIRA-T-IL ?
CHACUN A BESOIN D'UNE PHILOSOPHIE. MON ANCIENNE PHILOSOPHIE DISAIT : « PEU IMPORTE, QUI S'EN SOUCIE ? COMMENT LE SAURAIS-JE ? »
UNE PHILOSOPHIE NOUS PERMET-ELLE DE TRAVERSER LES ÉPREUVES ?
© 1997 United Feature Syndicate, Inc.
www.unitedmedia.com
QU'ADVIENT-IL LORSQUE NOTRE PHILOSOPHIE NE REMPLIT PAS SES PROMESSES ?
2-9
NOUS LANÇONS ALORS LE CRI PRIMAL LE PLUS DÉSESPÉRÉ...
MAMAN !
SCHULZ
Y A-T-IL DÉJÀ EU 24 ÉLÈVES ET UNE INSTITUTRICE QUI T'ONT ZIEUTÉ COMME SI TU ÉTAIS CINGLÉ ?

LA NEIGE RECOUVRE LE MONTICULE MAIS LES SOUVENIRS SONT BIEN PRÉSENTS.
2-10

QUARANTE À ZÉRO, VINGT À ZÉRO, CINQUANTE-TROIS À ZÉRO, SOIXANTE À ZÉRO...

ET CE MATCH MÉMORABLE OÙ UNE BALLE EN HAUTEUR T'A MISE K.O.
JE NE M'EN SOUVIENS PAS.
SCHULZ

FORMERONS-NOUS ENCORE UNE ÉQUIPE DE BASEBALL LA SAISON PROCHAINE ?
2-11

OUI, MAIS NOUS PROJETIONS DE NE PAS TE LE DIRE.

NOUS SOUHAITIONS TOUS QUE TU NE L'APPRENNES PAS CAR TU ES LA PIRE JOUEUSE DE L'HISTOIRE DU BASEBALL.

JE RÉSERVE LE CHAMP DROIT.
OUF
SCHULZ

NOTRE ÉQUIPE EST EN MAUVAISE POSTURE CETTE SAISON, CHARLIE BROWN. NOUS SOMMES FAIBLES À TOUTES LES POSITIONS

SAUF AU CHAMP DROIT. ELLE EST EXCEPTIONNELLEMENT MIGNONNE.
2-12

NOTRE VOLTIGEUSE DE DROITE EST LAMENTABLE.
MAIS MIGNONNE.
SCHULZ

TIENS ! JE T'AI CONFECTIONNÉ UN VALENTIN.

REGARDE, J'AI RÉDIGÉ UN POÈME QUE J'AI ENTOURÉ DE COEURS.

C'EST EN NOIR ET BLANC.

SI JE TENDS LES MAINS COMME CECI, TU POURRAS Y DÉPOSER UN VALENTIN.

OU TU PEUX RESTER AINSI JUSQU'À LA FIN DES TEMPS ET NE RIEN RECEVOIR.

J'AI L'IMPRESSION QU'IL VA PLEUVOIR.

PARFOIS JE M'ÉVEILLE LA NUIT ET UNE VOIX DEMANDE : « AS-TU PRIS TES COMPRIMÉS ? »

ALORS JE DIS : « QUELS COMPRIMÉS ? JE NE PRENDS AUCUNS COMPRIMÉS. »

ALORS LA VOIX AJOUTE : « NAVRÉ ! NOUS NE POUVONS CONNAÎTRE TOUS LES DOSSIERS. »

PEANUTS
par SCHULZ
VOICI LE CÉLÈBRE PATRIOTE QUI MONTE LA GARDE AU CAMP DU GÉNÉRAL WASHINGTON.
JE DOIS VOIR LE GÉNÉRAL !
JE DOIS SAVOIR !
© 1997 United Feature Syndicate, Inc.
2-16
DITES-MOI, MON GÉNÉRAL ! JE DOIS SAVOIR. LE COURRIER EST-IL ARRIVÉ ?
www.unitedmedia.com
AI-JE REÇU UN VALENTIN ?
SCHULZ

2-17
JE PARS À L'ÉCOLE. À CET APRÈS-MIDI !

SI TU DÉCIDES D'ALLER À LA GALERIE MARCHANDE, LES CLEFS DE LA FAMILIALE SONT SUR LE TABLEAU DE BORD.

IL SAIT QUE LE VOLANT ME CACHE LA VUE.

JE CROIS AVOIR DÉCOUVERT LE SECRET DE L'EXISTENCE.

2-18
ON TIENT LE COUP JUSQU'À CE QU'ON S'Y ACCOUTUME.

JE PEUX DIRE QUAND MA PRÉSENCE N'EST PAS SOUHAITÉE.

JE PEUX AUSSI BIEN M'EN ALLER.
2-19

JE PEUX PARTIR, TU SAIS.

N'OUBLIE PAS. J'AURAI DIX-HUIT ANS DANS...

... ONZE ANS !

2-20
APRÈS CELA, LA VIE AU PALAIS A ÉTÉ CHAMBARDÉE.
QUE S'EST-IL PASSÉ, SELON TOI ?
ILS ONT PROBABLEMENT OUBLIÉ DE DONNER SA PÂTÉE AU CHIEN.
SCHULZ
© 1997 United Feature Syndicate, Inc.

OUI MONSIEUR. JE VOUDRAIS VOIR UN GANT DE BASEBALL.
www.unitedmedia.com

PUIS-JE ESSAYER CELUI-CI ?

2-21
© 1997 United Feature Syndicate, Inc.

VENDU !
SCHULZ

JE VIENS D'ACHETER UN GANT DE BASEBALL.
2-22
www.unitedmedia.com

IL ME LE FALLAIT. UN BON JOUEUR A BESOIN D'UN BON ÉQUIPEMENT.
© 1997 United Feature Syndicate, Inc.

PEUT-ÊTRE VA-T-IL AMÉLIORER TA MOYENNE DE MATCHES PERDUS.
SCHULZ

PEANUTS.
par
SCHULZ

JE DÉSIRE VOIR MON CHER BABOU.
JE NE SUIS PAS SON CHER BABOU !

JE DÉSIRE LE REMERCIER DE SON VALENTIN.

JE NE LUI PAS ENVOYÉ DE VALENTIN !

NE DÉCÈLES-TU PAS LE SARCASME DANS MA VOIX ?
© 1997 United Feature Syndicate, Inc.

DIS-LUI QUE...

DIS-LE-LUI TOI-MÊME !

MERCI DE TON VALENTIN.

JE NE T'AI PAS ENVOYÉ DE VALENTIN.
NE DÉCÈLES-TU PAS LE SARCASME DANS MA VOIX ?
SCHULZ
2-23

EST-CE QUE JE TE PLAIS, CHARLES ?
EST-CE QUE QUOI ?

« EST-CE QUE QUOI ? » JE VIENS JUSQU'ICI POUR TE POSER UNE QUESTION ET CE QUE J'ENTENDS, C'EST : « EST-CE QUE QUOI ? »
2-24

OUBLIE CELA, CHARLES !
OUBLIER QUOI ?

SALUT CHARLES ! HIER JE SUIS PASSÉE CHEZ TOI, TU TE SOUVIENS ?
2-25

J'AI FAIT TOUT CE CHEMIN POUR TE DEMANDER SI JE TE PLAIS.

POUR FAIRE QUOI ?

JE SUIS À BOUT !

JE SUIS PASSÉE CHEZ CHARLES, HIER.
TU AS FAIT QUOI ?

« TU AS FAIT QUOI ? » JE VIENS DE TE LE DIRE. POURQUOI ME POSES-TU LA QUESTION ?
2-26

QUELQU'UN PEUT-IL ENCORE ARTICULER UNE PHRASE ? « COOL ! » « PAS DE PROBLÈME ! » « COMME TU VEUX ! » « ÇA VA ? »

JE SUIS SI DÉPRIMÉE.
TU ES QUOI ?

DOMMAGE QUE TU NE PUISSES PARLER, SNOOPY. AUTREMENT, JE PARIE QUE TU DIRAIS AUTRE CHOSE QUE « COOL ! » « PAS DE PROBLÈME ! » OU « ÇA VA ? »
© 1997 United Feature Syndicate, Inc.

SCHULZ 2-27
JE PARIE QUE TU DIRAIS QUELQUE CHOSE D'INTELLIGENT.
« CHAUSSETTE DE SOCCER. »

ALORS, JE TE LE REDEMANDE CHARLES : EST-CE QUE JE TE PLAIS ?
BIEN SÛR, TU ME PLAIS.
www.unitedmedia.com

CIEL !
EUH... JE REGARDE LA TÉLÉ, ALORS...
© 1997 United Feature Syndicate, Inc.

JE ME RETROUVE SUR LE PERRON EN COMPAGNIE DU CHIEN.
PAS DE PROBLÈME, MA JOLIE.
SCHULZ
2-28

SCHULZ
AU FOND, À LA DERNIÈRE RANGÉE, ON ENLÈVE LA CASQUETTE, D'ACCORD ?
3-1
© 1997 United Feature Syndicate, Inc.

PEANUTS®

par SCHULZ

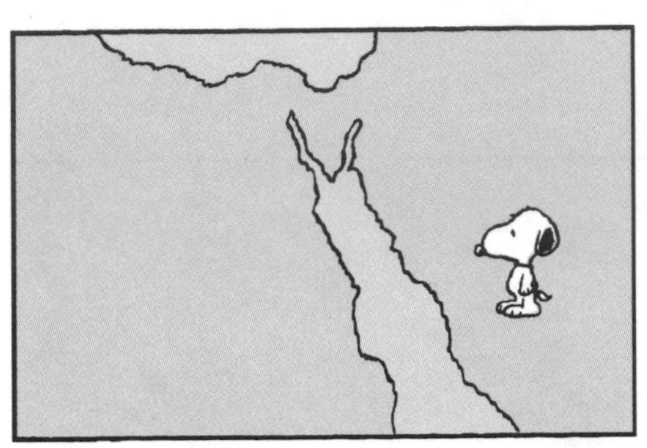

VOYONS QUI SERA TON ADVERSAIRE AU TOUR INITIAL...
www.unitedmedia.com

OH NON ! CETTE PLEURNICHEUSE DE BOOBIE ! ELLE SE PLAINT SANS CESSE DE TOUT ET DE RIEN.

3-3
AUJOURD'HUI, IL FAIT TROP FROID POUR JOUER ! HIER, IL FAISAIT TROP CHAUD ! LE FILET EST TROP HAUT ! MES JAMBES ME FONT SOUFFRIR ! MON COUDE EST ENFLÉ !
JE DEVRAIS LUI DONNER UNE GIFLE. LES CHIENS ONT LE DROIT DE GIFLER LES HUMAINS.
© 1997 United Feature Syndicate, Inc.
SCHULZ

QUE SE PASSE-T-IL ?
C'EST UN MATCH AFFREUX... SNOOPY JOUE CONTRE BOOBIE LA PLEURNICHEUSE.
© 1997 United Feature Syndicate, Inc.

3-4
QUI FAIT LE SERVICE ? JE NE PEUX FAIRE LE SERVICE AU SOLEIL ! JE VEUX RECEVOIR ! LE FILET EST TROP HAUT ! J'AI MAL AUX GENOUX ET UNE DOULEUR À L'OREILLE !
JE VAIS LA GIFLER. LES CHIENS ONT LE DROIT DE GIFLER LES HUMAINS
SCHULZ

QUI MÈNE À PRÉSENT ?
JE L'IGNORE
www.unitedmedia.com

HORS JEU ! LA BALLE EST HORS-JEU !

JE DÉCRÈTE QU'ELLE EST HORS JEU CAR JE L'AI VUE HORS DU JEU, AUSSI EST-ELLE HORS JEU !
© 1997 United Feature Syndicate, Inc.

DEVRAIS-JE SAUTER PAR-DESSUS LE FILET OU LE CONTOURNER POUR ALLER LA GIFLER ?
SCHULZ
3-5

HORS JEU ! LA BALLE ÉTAIT HORS JEU !
3-6
www.unitedmedia.com

C'ÉTAIT UNE LONGUE BALLE ! LONGUE ET HORS JEU !

UNE TRÈS LONGUE BALLE QUI ÉTAIT VRAIMENT HORS JEU !
© 1997 United Feature Syndicate, Inc.

PRÉVIENS-MOI SI J'EN FRAPPE UNE CONVENABLEMENT.

HORS JEU !
3-7
www.unitedmedia.com

ELLE ÉTAIT HORS JEU, N'EST-CE PAS MAMAN ?

MAMAN DIT QU'ELLE ÉTAIT HORS JEU !
© 1997 United Feature Syndicate, Inc.

MA MÈRE AURAIT DIT QU'ELLE EST BONNE.

UN AUTRE LOB !
3-8
www.unitedmedia.com

J'AI HORREUR DE JOUER AVEC UN ADVERSAIRE QUI FAIT SANS CESSE DES LOBS !
© 1997 United Feature Syndicate, Inc.

CE N'ÉTAIT PAS UN LOB. C'ÉTAIT MON SMASH OFFENSIF !

PEANUTS
par
SCHULZ

FLÛTE ! JE SUIS ENCHEVÊTRÉ AU POINT DE NE PLUS POUVOIR BOUGER. COURS CHERCHER DE L'AIDE !
3-9

ATTENDS UN PEU ! AVANT TOUT, IL ME FAUT UNE GORGÉE D'EAU.
www.unitedmedia.com

NAVRÉ DE TE VEXER MAIS JE NE BOIRAI PAS À TA GAMELLE.

© 1997 United Feature Syndicate, Inc.

SCHULZ

J'AI GAGNÉ ! J'AI GAGNÉ ! JE SUIS CHAMPIONNE ! J'AI GAGNÉ !
www.unitedmedia.com

HÉ MAMAN ! J'AI GAGNÉ !

3-10
© 1997 United Feature Syndicate, Inc.

MAMAN, JE CROIS QUE CE CHIEN M'A GIFLÉE !
SCHULZ

J'AIME FAIRE DE L'AQUARELLE.
JE DÉTESTE, C'EST TROP ARDU.
www.unitedmedia.com

NON MADAME, JE N'AI PAS ENCORE COMMENCÉ. JE N'AI MÊME PAS D'EAU.
© 1997 United Feature Syndicate, Inc.

3-11
JE L'AI BUE.
SCHULZ

MARCIE, PUIS-JE T'EMPRUNTER UN CRAYON ?
www.unitedmedia.com

ET PEUT-ÊTRE DU PAPIER, ET UNE GOMME À EFFACER, ET UNE RÈGLE ET TON MANUEL DE MATHÉMATIQUES, ET...
© 1997 United Feature Syndicate, Inc.

MARCIE !
SCHULZ
3-12

VOIS MARCIE, J'AI APPORTÉ UNE BANANE AU CAS OÙ ON NOUS ENSEIGNERAIT À PRÉPARER UNE TARTE À LA CRÈME DE BANANE.
3-13

NOUS N'AVONS PAS DE COURS D'ART CULINAIRE, MONSIEUR.
NON ?
www.unitedmedia.com

UNE SUGGESTION, MADAME. OUBLIONS LES MATHÉMATIQUES ET PENCHONS-NOUS SUR LA TARTE À LA CRÈME DE BANANE.
© 1997 United Feature Syndicate, Inc.

TU DEVIENS DE PLUS EN PLUS TARÉE, MONSIEUR.
SCHULZ

DÉSORMAIS, JE N'IRAI PLUS À L'ÉCOLE. L'INSTITUTRICE ME HAIT, LE DIRECTEUR ME HAIT, LE CONCIERGE ME HAIT ET LE CONSEIL SCOLAIRE ME HAIT...
3-14
www.unitedmedia.com

TU FERAIS MIEUX DE T'HABILLER, SINON TU VAS RATER L'AUTOBUS
© 1997 United Feature Syndicate, Inc.

LE CONDUCTEUR DE L'AUTOBUS ME HAIT.
SCHULZ

www.unitedmedia.com
3-15

© 1997 United Feature Syndicate, Inc.
SCHULZ

PEANUTS
par SCHULZ

ELLE S'INTITULE « PORTRAIT DES PEANUTS ».
QUOI DONC ?

LA NOUVELLE ŒUVRE COMPOSÉE PAR ELLEN TAAFFE ZWILICH. NOUS Y FIGURONS TOUS !
NOUS Y FIGURONS ? QUE VEUX-TU DIRE ?

SON OUVERTURE S'INTITULE « FANTAISIE DE BEETHOVEN PAR SCHROEDER ».

VIENNENT ENSUITE LA « BERCEUSE POUR LINUS », « SAMBA POUR SNOOPY » ET LE « LAMENTO DE CHARLIE BROWN ».
www.unitedmedia.com

L'AUTRE MOUVEMENT S'INTITULE « LA PSYCHOSE DE LUCY », SUIVI DE « PEPPERMINT PATTY ET MARCIE DIRIGENT LA FANFARE ».
3-16

LA PREMIÈRE MONDIALE AURA LIEU AU CARNEGIE HALL... TIENS, VOIS PAR TOI-MÊME !

© 1997 United Feature Syndicate, Inc.
MON MOUVEMENT DEVRAIT ÊTRE PLUS LONG.
SCHULZ

ENFIN UNE NOUVELLE SAISON ! LA VIE REPREND SES DROITS ! QUEL BONHEUR D'ÊTRE ICI !
www.unitedmedia.com

JE ME SENS COMME LE CAPITAINE D'UN GRAND VAISSEAU...
3-17

QUE RIEN NE PEUT FAIRE SOMBRER SAUF...

HÉ, L'ENTRAÎNEUR ! JE SUIS EN GRANDE FORME !
© 1997 United Feature Syndicate, Inc.

... UN ICEBERG !
SCHULZ

« PIGPEN », JE NE TE COMPRENDS PAS.
www.unitedmedia.com

C'EST LE PREMIER TOUR DE BATTE DE NOTRE PREMIER MATCH ET TU ES DÉJÀ COUVERT DE SALETÉ.
3-18
© 1997 United Feature Syndicate, Inc.

TOUTE CETTE SALETÉ N'EST PAS D'AUJOURD'HUI. IL Y A DES VESTIGES DE LA SAISON DERNIÈRE.
SCHULZ

SOIS GENTIL ET DEMANDE À « PIGPEN » POURQUOI IL NE PORTE PAS UNE CASQUETTE DE BASEBALL
www.unitedmedia.com

L'ENTRAÎNEUR VEUT SAVOIR POURQUOI TU NE PORTES PAS DE CASQUETTE.
© 1997 United Feature Syndicate, Inc.

IL DIT QU'IL NE VEUT PAS SE DÉCOIFFER.
SCHULZ
3-19

« PIGPEN », POURQUOI NE SOIGNES-TU PAS TA MISE COMME LES AUTRES JOUEURS ?
www.unitedmedia.com

3-20
LA SAISON DERNIÈRE, J'AI FRAPPÉ 0,712.
© 1997 United Feature Syndicate, Inc.

UNE MISE SOIGNÉE NE FRAPPE PAS 0,712.
SCHULZ

WAP!

www.unitedmedia.com

© 1997 United Feature Syndicate, Inc.

3-21
« PIGPEN » ACCOURT AU MARBRE ET S'Y EFFONDRE. IL EST EN SÛRETÉ ! IL SE RELÈVE, ESSUIE LA POUSSIÈRE DE SES VÊTEMENTS...
POURQUOI ?
SCHULZ

N'OUBLIE PAS, SI UNE BALLE VOLE DANS TA DIRECTION, TIENS COMPTE DU FACTEUR VENT !

© 1997 United Feature Syndicate, Inc.

www.unitedmedia.com

3-22
JE M'Y EFFORCE
SCHULZ

PEANUTS
par
SCHULZ
EUF !

© 1997 United Feature Syndicate, Inc.

zoum !

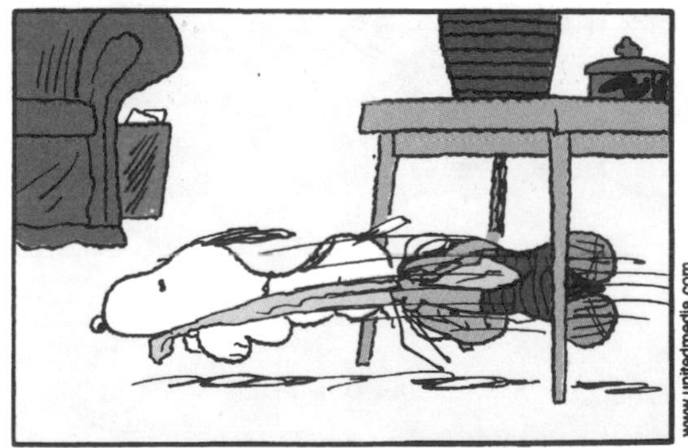
www.unitedmedia.com

3-23

CHIEN IDIOT !
SCHULZ

NOUS AVONS UN EXAMEN DE MATHÉMATIQUES CE MATIN.
ÇA NE M'INQUIÈTE PAS.
U.S. MAI

PUIS UN EXAMEN D'HISTOIRE ET UNE DICTÉE.
ÇA NE M'INQUIÈTE PAS.
3-24

APRÈS LES COURS, NOTRE PREMIER MATCH.
LÀ JE SUIS INQUIET.

PÉNIBLE DE RENTRER CHEZ SOI QUAND ON PERD LE PREMIER MATCH DE LA SAISON.
3-25

SI QUELQUE CHOSE SE MET EN TRAVERS DE NOTRE ROUTE, ON VEUT LUI ADMINISTRER UN COUP DE PIED.

PUIS ON S'APERÇOIT QU'ON NE PEUT MÊME PAS DONNER UN COUP DE PIED.

JE SAIS, VOUS AVEZ PERDU LE PREMIER MATCH DE LA SAISON.

JE N'AI JAMAIS VU MON FRÈRE EN AUSSI PITEUX ÉTAT.

D'ACCORD, JE LUI FAIS LE MESSAGE.

LINUS DIT QUE TU PEUX GARDER LA COUVERTURE AUSSI LONGTEMPS QU'IL LE FAUDRA.
3-26

DÉSOLÉ, CHARLIE BROWN. JE VIENS REPRENDRE MA COUVERTURE.
J'IGNORE OÙ ELLE EST.
3-27
www.unitedmedia.com

TU NE SAIS PAS OÙ ELLE EST ? ! !

JE FERAIS BIEN DE DÉGUERPIR. ON BLÂME LES CHIENS DE TOUT ET DE RIEN.
© 1997 United Feature Syndicate, Inc.
SCHULZ

TU ÉTAIS DÉPRIMÉ, ALORS JE T'AI PRÊTÉ MA COUVERTURE.
www.unitedmedia.com

ET VOILÀ QUE TU IGNORES OÙ ELLE EST ?
3-28

COMMENT PEUX-TU ME FAIRE UNE CHOSE PAREILLE ? !
© 1997 United Feature Syndicate, Inc.

PAUVRE BABOU CHÉRI !
JE NE SUIS PAS TON BABOU CHÉRI !
SCHULZ

LINUS ! J'AI RETROUVÉ TA COUVERTURE ! ELLE ÉTAIT SOUS LE CANAPÉ !
www.unitedmedia.com

QUEL SOULAGEMENT ! JE NE M'EN SÉPARERAI PLUS JAMAIS.

© 1997 United Feature Syndicate, Inc.
zoum !
BONNE IDÉE !
SCHULZ
3-29

PEANUTS®

par SCHULZ

C'EST RERUN À L'APPAREIL... BONJOUR GRAND-MAMAN. COMMENT VAS-TU ?
3-31
www.unitedmedia.com

BIEN MERCI. LE JARDIN D'ENFANTS ?
© 1997 United Feature Syndicate, Inc.

TOUT VA BIEN, JARDIN D'ENFANTS PARLANT...
SCHULZ

SAIS-TU CE QUI ME FERAIT RIGOLER ? T'ANNONCER QUE LA PETITE ROUQUINE SE TROUVE À LA PORTE ET, ALORS QUE TU ACCOURRAIS VERS ELLE, TE LANCER : « POISSON D'AVRIL ! »

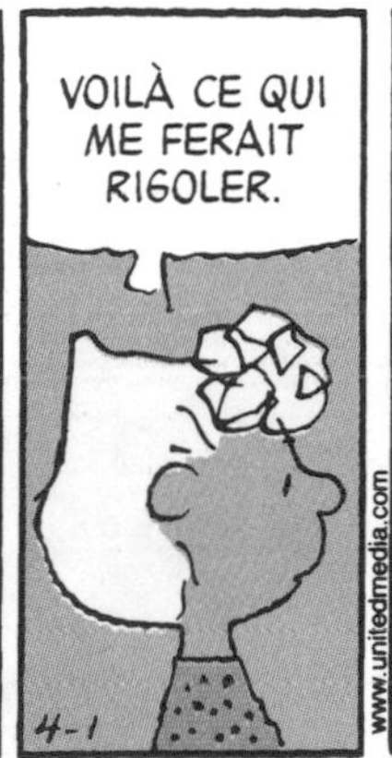
VOILÀ CE QUI ME FERAIT RIGOLER.
4-1
www.unitedmedia.com

INCIDEMMENT, UN LÉZARD GÉANT RAMPE DANS TON DOS.
AÏE ! !
© 1997 United Feature Syndicate, Inc.

POISSON D'AVRIL !
SCHULZ

J'AI ENTENDU DIRE QU'HIER TU AVAIS PRONONCÉ UN PLAIDOYER PASSIONNÉ DEVANT LE JURY.
4-2
© 1997 United Feature Syndicate, Inc.

LEUR AS-TU MIS LA LARME À L'ŒIL ?
NON, JE LES AI ENDORMIS.
SCHULZ

NOOON ! !

POURQUOI AVOIR FAIT ÇA ?
JE N'Y PEUX RIEN, C'EST GÉNÉTIQUE

NAVRÉ DE ME RÉPÉTER, MADAME, MAIS LE TOIT FUIT ENCORE

JE NE PEUX VOUS REMETTRE MON TRAVAIL CAR IL SE TROUVE DANS MON CLASSEUR, LEQUEL M'EMPÊCHE DE ME NOYER.

QUAND VOUS SOUPIREZ, MADAME, ON CROIRAIT ENTENDRE LA BRISE AGITANT LES GRANDS PINS.

Assistance psychiatrique 5 ¢
... LORSQU'UNE ACTIVITÉ S'AVÈRE INCONTRÔLABLE, ELLE PEUT SE TRANSFORMER EN COMPULSION.
LE DOCTEUR EST LÀ
QUELQU'UN VEUT JOUER AU « PAQUET VOLEUR » ? UNE AUTRE PARTIE ? UNE SEULE ? ALLEZ ! QUELQU'UN ?

PEANUTS

par SCHULZ

OUI MADAME, JE PENSE QUE LE TOIT FUIT ENCORE.
4-7
www.unitedmedia.com

EST-CE QUE ÇA ME TIENT ÉVEILLÉE ?
© 1997 United Feature Syndicate, Inc.

LE SARCASME VOUS SIED MAL, MADAME.

MONSIEUR, LE TOIT FUIT ENCORE ET TE VOILÀ TOUTE TREMPÉE.
www.unitedmedia.com

JE N'AIME PAS ME PLAINDRE, MARCIE.
4-8

ALORS JE ME PLAINDRAI EN TON NOM.

NOUS NOUS DEMANDIONS, MADAME, SI VOUS N'AVIEZ PAS PAR HASARD REMARQUÉ...
© 1997 United Feature Syndicate, Inc.

LE TOIT FUIT !

C'EST LA SITUATION, M. LE DIRECTEUR.

LA MOITIÉ DES ENFANTS DE LA CLASSE NE SAIT PAS LIRE ET L'AUTRE NE PEUT MULTIPLIER SIX ET HUIT.
www.unitedmedia.com

AUCUN NE SAIT OÙ SE TROUVE LA BOSNIE ET NUL NE PEUT DIRE QUI A ÉCRIT « HAMLET ».
4-9

J'AI PARLÉ AU DIRECTEUR, MONSIEUR.
QU'A-T-IL DIT À PROPOS DU TOIT ?
© 1997 United Feature Syndicate, Inc.

J'AI OUBLIÉ DE LUI EN PARLER.

BONNE NOUVELLE, MONSIEUR ! LE DIRECTEUR A DEMANDÉ AU CONCIERGE DE MONTER SUR LE TOIT AFIN DE COLMATER LA FISSURE.
4-10

CEPENDANT, TU DEVRAS PATIENTER ENCORE UN PEU.

LE CONCIERGE EST TOMBÉ DU TOIT !
SCHULZ

QUE DIS-TU DE ÇA, MARCIE ? JE PENSE QUE LE TOIT EST RÉPARÉ.
4-11

ESPÉRONS QU'IL N'Y A PAS D'AUTRES FISSURES À COLMATER.

SCHULZ

C'EST UNE GAMELLE D'EAU. QUE CROYAIS-TU ?
?

SI, BOIS À TA GUISE.
?
4-12

NON, JE N'AI PAS DE GODET DE PAPIER.
?
SCHULZ

PEANUTS®
par
SCHULZ

TA TÂCHE CONSISTE À TENIR LE CERF-VOLANT.

MA TÂCHE SE DOUBLE-T-ELLE D'UN TITRE ?
© 1997 United Feature Syndicate, Inc.

ACCORDE-TOI LE TITRE QUE TU VEUX POURVU QUE TU LIBÈRES LE CERF-VOLANT LORSQUE JE ME METTRAI À COURIR.

JE POURRAIS ÊTRE « SECRÉTAIRE AU CERF-VOLANT ».
www.unitedmedia.com

OU ENCORE « PREMIÈRE SECRÉTAIRE AU CERF-VOLANT », VOIRE MÊME « SECRÉTAIRE EN CHEF AU CERF-VOLANT ».

ZIP !
4-13

QUE DIS-TU DE « EX-SECRÉTAIRE AU CERF-VOLANT, QUATRIÈME CLASSE » ?
ELLE VA ME RENDRE DINGUE !
SCHULZ

SI ELLE LIT UNE AUTRE AVENTURE DE JEANNOT ET JEANNETTE, JE DEVIENS FOU...
4-14

OUI, MADAME. NOUS AIMERIONS TOUS ENTENDRE LE PASSAGE OÙ ANNA KARÉNINE SE PRÉCIPITE SOUS LE TRAIN...

C'EST BON. VOYONS OÙ EN SONT JEANNOT ET JEANNETTE.

J'AI UNE NOUVELLE PHILOSOPHIE.

« QU'ESPÉRAIS-TU ? UNE MÉDAILLE ? »
4-15

CERTAINES PHILOSOPHIES METTENT MILLE ANS À S'ÉCHAFAUDER. JE PONDS LES MIENNES EN DEUX MINUTES.

DIS DONC, QUI A PRIS LE DERNIER BISCUIT ?

EN FAIT, QUI A PRIS LE PREMIER BISCUIT ? !

4-16
J'AI PRIS LE DOUZIÈME.

J'ADORE LES EXCURSIONS EN FORÊT.

PARCE QU'ELLES NOUS PERMETTENT DE DÉCOUVRIR LA NATURE QUI NOUS ENTOURE.
4-17

NOUS DEVONS CONNAÎTRE LE NOM DES ARBRES, DES MONTAGNES, DES LACS, DES OISEAUX.

JE SAIS, TU T'APPELLES BILL.
SCHULZ

AUJOURD'HUI, AU JARDIN D'ENFANTS, NOUS AVONS APPRIS À NOUER NOS LACETS DE CHAUSSURES.

J'AI VITE MAÎTRISÉ LA TECHNIQUE. J'APPRENDS FACILEMENT.

4-18
CE NE SONT PAS TES CHAUSSURES.
SCHULZ

JE SIGNALE MA PRÉSENCE, ENTRAÎNEUR.
4-19

JE VEUX QUE TU SACHES QUE J'AI LA SITUATION EN MAIN AU CHAMP DROIT.

JE REFUSE CATÉGORIQUEMENT DE LUI DEMANDER DE QUOI IL S'AGISSAIT.
SCHULZ

DRELIN
PEANUTS
par SCHULZ
ZUT !
C'EST PROBABLEMENT LE GAMIN À TÊTE RONDE.

SALLY ? JE DORS CHEZ LINUS.

J'AI NOURRI TON CHIEN COMME TU L'AS DEMANDÉ.

AVANT DE L'ENVOYER DEHORS POUR LA NUIT, FAIS-LUI UN CÂLIN ET DIS-LUI « DORS BIEN ».

ET SOUHAITE-LUI ENSUITE QU'UNE HORDE D'ANGES DANSE À SES PIEDS.
4-20

DORS BIEN. QU'UNE HORDE D'ANGES DANSE À TES PIEDS.

LA NUIT SERA LONGUE.
SCHULZ

4-21
© 1997 United Feature Syndicate, Inc.
VOIS, JE DESSINE UN PAYSAGE.
IL FAUT UNE CASCADE ET UNE MONTAGNE ET UN CERF DANS UN PRÉ ET UN COUCHER DE SOLEIL ET UNE CABANE DE RONDINS ET UN RUISSEAU ET UNE TRUITE QUI BONDIT HORS DE L'EAU.
ET UN BOUVIER DES FLANDRES QUI RASSEMBLE LES MOUTONS.
SCHULZ

La nuit était noire et orageuse.

www.unitedmedia.com

OH NON ! PAS ENCORE !
4-22

© 1997 United Feature Syndicate, Inc.

La nuit était noire mais nul ne savait si elle serait orageuse.
SCHULZ

Messieurs,
Vous trouverez sous pli ma dernière nouvelle.

4-23
www.unitedmedia.com

POSTE
© 1997 United Feature Syndicate, Inc.

SCHULZ
POSTE

NON MADAME. J'AI LEVÉ LA MAIN GAUCHE.
www.unitedmedia.com

LORSQUE JE LÈVE LA MAIN GAUCHE, ÇA SIGNIFIE QUE J'AI DES DOUTES ALORS QUE, QUAND JE LÈVE LA DROITE, CELA VEUT DIRE QUE JE SUIS CONVAINCUE.
4-24

VOYEZ ? CETTE FOIS, JE LÈVE LA GAUCHE.
© 1997 United Feature Syndicate, Inc.

MADAME, OÙ ALLEZ-VOUS ? REVENEZ !
SCHULZ

MONSIEUR, VOICI VOTRE REPAS. BON APPÉTIT !
4-25

www.unitedmedia.com

OUF !
© 1997 United Feature Syndicate, Inc.

LES CHIENS NE DONNENT PAS DE POURBOIRE.
SCHULZ

4-26
NE SOIS PAS TRISTE. JE T'EN OFFRIRAI UN DEMAIN.
© 1997 United Feature Syndicate, Inc.
SCHULZ

PEANUTS
par
SCHULZ

© 1997 United Feature Syndicate, Inc.

4-27
www.unitedmedia.com

POURQUOI MON ÉQUIPE N'EST-ELLE PAS COMME LES AUTRES ?
SCHULZ

OUI MADAME. RELISEZ L'HISTOIRE DE CETTE FILLETTE MALADROITE QUI EST TOMBÉE DANS UN TERRIER DE LAPIN.
www.unitedmedia.com

« ALICE ».
ET DU CHAT DE CHESAPEAKE.
© 1997 United Feature Syndicate, Inc.

« CHESHIRE ».
ET DE SA RENCONTRE AVEC TIGER WOODS.
4-28

ELLE N'A JAMAIS RENCONTRÉ TIGER WOODS.
LISEZ CE QUE VOUS VOULEZ, MADAME.
SCHULZ

JE PRÉPARE TON DÎNER LE PLUS RAPIDEMENT POSSIBLE !
www.unitedmedia.com

JE SAIS QUE TU AS FAIM MAIS RIEN NE T'OBLIGE À ENFONCER LA PORTE !
4-29

© 1997 United Feature Syndicate, Inc.
SCHULZ

JE SONGE SÉRIEUSEMENT À QUITTER L'ÉCOLE.
www.unitedmedia.com

PLUTÔT QUE DE DEVENIR PLUS INTELLIGENT, JE RÉGRESSE CHAQUE JOUR DAVANTAGE.
© 1997 United Feature Syndicate, Inc.

4-30
JE PRÉVOIS PLANCHONNER DANS UN MOIS ENVIRON.
SCHULZ

TU RENTRES TÔT. QUAND ES-TU PARTI ?
www.unitedmedia.com

L'AILE LA PLUS LONGUE ÉTAIT SUR LE DEUX ET LA PLUS COURTE SUR LE NEUF ?
5-1
© 1997 United Feature Syndicate, Inc.

TU DEVRAIS APPRENDRE À LIRE L'HEURE.
SCHULZ

DES FLEURS POUR L'INSTITUTRICE ?
www.unitedmedia.com

QUE VEUX-TU MARCIE, PASSER AU RANG D'OFFICIER ?
5-2
© 1997 United Feature Syndicate, Inc.

N'OUBLIEZ PAS LES SIMPLES SOLDATS, MADAME.
SCHULZ

© 1997 United Feature Syndicate, Inc.
BEETHOVEN AURAIT CRÉÉ DAVANTAGE S'IL N'AVAIT PAS EU À SE PRÉOCCUPER DE SON NEVEU.
JE N'AI PAS PU MANGER DE CÉRÉALES CE MATIN CAR MON IDIOT DE FRÈRE A BU TOUT LE LAIT.
5-3

DE QUOI CAUSENT LES JOUEURS LORSQU'ILS SE RETROUVENT AU MONTICULE ?
OUBLIE-ÇA !
www.unitedmedia.com
SCHULZ

PEANUTS®
par
SCHULZ

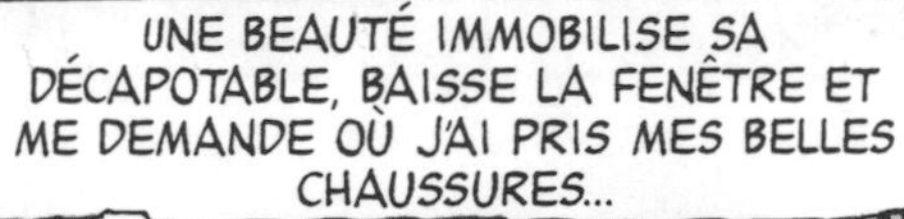

UNE BEAUTÉ IMMOBILISE SA DÉCAPOTABLE, BAISSE LA FENÊTRE ET ME DEMANDE OÙ J'AI PRIS MES BELLES CHAUSSURES...

JE VOULAIS LUI DIRE QUE MON RICHE ET CÉLÈBRE AMI MICKEY ME LES AVAIT DONNÉES.

ELLE EST TOUTEFOIS REPARTIE AVANT QUE J'AIE EU LE TEMPS DE RÉPONDRE, CE QUE JE N'AURAIS PU FAIRE CAR LES CHIENS NE PARLENT PAS.
5-4

MICKEY CROIT QU'IL PEUT PARLER MAIS ÇA LUI EST IMPOSSIBLE.

SA VOIX EST DOUBLÉE.
SCHULZ

♠853 ♥– ♦Q6 ♣4

♠– ♥K10 ♦K8 ♣Q10

N O E S

♠– ♥Q63 ♦J9 ♣6

♠1072 ♥– ♦A5 ♣3

SCHULZ

5-7

VOICI LE CÉLÈBRE AVIATEUR QUI RENTRE À L'AÉRODROME...

IL SAIT QUE SES FIDÈLES MÉCANICIENS LUI RÉSERVERONT UN ACCUEIL ENTHOUSIASTE À SON ATTERRISSAGE.

5-8
♠K107
♥984
♦AJ108
♣Q73
♠J43
♥AQ10763
♦–
♣K1096
N
O E
S
♠82
♥J
♦Q7652
♣J8542
♠AQ965
♥K52
♦K943
♣A
SCHULZ

VOUS FAITES DE PIÈTRES MÉCANICIENS FIDÈLES !
5-9

JE COMBATTAIS SEUL LE BARON ROUGE PENDANT QUE VOUS JOUIEZ AU BRIDGE.

QU'AVEZ-VOUS À DIRE ?

?
AVEC TROIS ROIS, JE ME SERAIS RENDU AU SIX DE PIQUE.
SCHULZ

JE RESTE PARFOIS ÉVEILLÉ LA NUIT EN ME DEMANDANT SI QUELQU'UN SE SOUVIENT DE MOI...
5-10

C'EST ALORS QU'UNE VOIX SURGIE DE L'OMBRE SE FAIT ENTENDRE ET DIT : « BIEN SÛR FRANK, NOUS NOUS SOUVENONS DE TOI. »
SCHULZ

PEANUTS
par
SCHULZ

DISONS QUE NOUS EN SOMMES À NOTRE SIXIÈME MOIS DE MARIAGE...

ET DISONS QUE J'AI PRÉPARÉ UNE FRICASSÉE AU THON POUR LE DÎNER...

TU ENTRES À LA CUISINE ET TU T'ÉCRIES : « QUOI ? ENCORE DE LA FRICASSÉE AU THON ? »
© 1997 United Feature Syndicate, Inc.

JE NE DIRAIS JAMAIS CELA.
ALORS JE DIRAIS : « J'AI MIS BEAUCOUP D'EFFORTS DANS CETTE FRICASSÉE AU THON MAIS TOUT CE QUI T'INTÉRESSE, C'EST TON SATANÉ PIANO ! »
5-11

SUR CE, TU QUITTES LA PIÈCE.
www.unitedmedia.com

NAVRÉ DU RETARD ! J'ÉTAIS RETENU PAR UNE SCÈNE DE MÉNAGE.

JE NE SAIS JAMAIS DE QUOI IL PARLE.
SCHULZ

J'AI BESOIN D'UN COUP DE POUCE POUR MES DEVOIRS.

NOUS AVONS TOUS BESOIN D'UN COUP DE POUCE POUR NOS DEVOIRS... NOUS IMPLORONS TOUS UNE ÉPAULE SECOURABLE... NOUS SOMMES TOUS DÉSESPÉRÉS.

JE N'HABITE PAS LÀ OÙ JE DEVRAIS.

NON, CE N'EST PAS UNE ÉTOILE MAIS UNE COMÈTE.

COMMENT JE LE SAIS ? C'EST INSCRIT SUR LE CÔTÉ.

IL NE CROIT RIEN DE CE QUE JE LUI DIS.

ALLEZ, CHARLIE BROWN ! ÉLIMINE CE TYPE DU JEU ! T'EN ES CAPABLE !

QU'AJOUTER DE PLUS ?

OUI MADAME...
JE RÉDIGE UNE
NOUVELLE.

À PROPOS D'UN GARÇON
QUI FRÉQUENTE LE
JARDIN D'ENFANTS ET
QUE LE STRESS DÉTRUIT
PEU À PEU.

CHAQUE
MATIN, IL...

MADAME ?

J'EN AI UNE AUTRE QUI
MET EN SCÈNE DES
LAPINS VIOLETS.

IL DOIT BIEN SE TROUVER UNE
BOÎTE À LETTRES QUI
CONTIENNE UNE LETTRE
D'AMOUR POUR MOI.

MAIS CE N'EST
PAS CELLE-CI...

SATANÉE BOÎTE
À LETTRES !

SATANÉ
GAMIN !

LUCY, RECULE JUSQU'À
PROXIMITÉ DES
BUISSONS...

JE VAIS FRAPPER
UNE BALLE EN
HAUTEUR.

ESSAIE DE L'INTERCEPTER LE
PLUS VITE POSSIBLE.

ELLE DOIT ÊTRE
QUELQUE PART ICI.

PEANUTS
par
SCHULZ

© 1997 United Feature Syndicate, Inc.

www.unitedmedia.com

5-18

COMME JE LE DIS SOUVENT : N'EMPRUNTE JAMAIS UN RACCOURCI SUR UN PARCOURS DE GOLF MINIATURE.
SCHULZ

NON MADAME MAIS JE PEUX DEVINER...
5-19

DES ZÈBRES ! VOILÀ MA RÉPONSE !
www.unitedmedia.com

MONSIEUR, LA RÉPONSE EST « DOUZE ».
© 1997 United Feature Syndicate, Inc.

DOUZE ZÈBRES !
SCHULZ

VOICI LE CÉLÈBRE PATRIOTE QUI MONTE LA GARDE AU CAMP DU GÉNÉRAL WASHINGTON.
5-20
www.unitedmedia.com

« CE GENRE D'ÉPREUVE FORGE L'ÂME DES HOMMES. »
© 1997 United Feature Syndicate, Inc.

AUTREMENT DIT, J'ESPÈRE RÉUSSIR L'ÉPREUVE.
SCHULZ

HÉ MARCIE ! J'AI EU VENT DE LA RUMEUR VOULANT QUE JE SOIS EN LICE POUR LE PRIX DE L'ÉLÈVE DE L'ANNÉE
www.unitedmedia.com

VOILÀ QUI EST INTRIGANT, MONSIEUR. J'AI EU VENT D'UNE RUMEUR VOULANT QUE LA LUNE TOMBE DU CIEL.
5-21
© 1997 United Feature Syndicate, Inc.

JE RACCROCHE, MARCIE.
SCHULZ

LE MORAL DE LA TROUPE EST À ZÉRO.
5-22

LES HOMMES ONT FAIM. RIEN À MANGER, SINON DU PAIN SEC ET DE L'EAU.
www.unitedmedia.com

ET CE MATIN, LE GÉNÉRAL WASHINGTON NOUS A APPRIS DE MAUVAISES NOUVELLES...
© 1997 United Feature Syndicate, Inc.

NOUS MANQUONS DE GELÉE DE RAISIN.
SCHULZ

TIENS MARCIE, LES NOMS DES CANDIDATS EN LICE POUR LE PRIX DE L'ÉLÈVE DE L'ANNÉE. MON NOM Y EST, REGARDE !
www.unitedmedia.com

JE LES AI COMPTÉS, MONSIEUR. TU ES AU QUATRE CENTIÈME RANG.
© 1997 United Feature Syndicate, Inc.

QUATRE CENTIÈME QUI EFFECTUE UNE REMONTÉE SPECTACULAIRE !
SCHULZ
5-23

J'AI BESOIN D'UN COUP DE POUCE POUR MES DEVOIRS.
ENCORE ?

5-24
J'ESPÈRE QUE TU APPRÉCIES MES EFFORTS.
www.unitedmedia.com
© 1997 United Feature Syndicate, Inc.

ADRESSE-TOI À MOI SI TU DOIS NOUER TES LACETS.
SCHULZ

PEANUTS®
par SCHULZ

VOLER ? SI, JE SAIS QUE LES OISEAUX VOLENT

QU'Y A-T-IL D'EXTRA-ORDINAIRE ?

LES CHIENS FONT DES TAS DE CHOSES DONT SONT INCAPABLES LES OISEAUX

LES CHIENS ABOIENT
© 1997 United Feature Syndicate, Inc.

5-25

www.unitedmedia.com

WOUF !
SCHULZ

UN AUTRE JOUR GLACIAL NOUS ATTEND. J'APPORTE DU PAIN SEC AU GÉNÉRAL WASHINGTON...

5-26

ALORS IL TONNE : « POURQUOI QUELQU'UN NE VA-T-IL PAS AU SUPERMARCHÉ EN ACHETER ? »

J'AI PENSÉ QUE TU VOUDRAIS ME CONGRATULER ET PEUT-ÊTRE PARTAGER MA GLOIRE...

5-28

DIS-MOI, CHARLIE : POURQUOI N'AI-JE PAS MÉRITÉ LE PRIX DE LA MEILLEURE ÉLÈVE DE L'ANNÉE ?
5-29
www.unitedmedia.com

PEUT-ÊTRE PARCE QUE TU T'ASSOUPIS EN CLASSE CHAQUE JOUR.
TU NE M'AS JAMAIS BLAIRÉE, DIS CHARLIE ?
© 1997 United Feature Syndicate, Inc.

JE TENTE SEULEMENT D'EXPLIQUER POURQUOI...
Z
SCHULZ

OUI MADAME... JE SAIS QUE JE N'AI PAS REMPORTÉ LE PRIX DE LA MEILLEURE ÉLÈVE, QUE JE N'AI PAS GAGNÉ...

MAIS CE QUE J'AI BESOIN DE SAVOIR, C'EST SUIS-JE ARRIVÉ DEUXIÈME OU TROISIÈME PEUT-ÊTRE ?
5-30
www.unitedmedia.com

QUATRE CENTIÈME ? !
© 1997 United Feature Syndicate, Inc.

C'EST PROBABLEMENT MIEUX QUE ÇA NE SEMBLE, HEIN MADAME ?
SCHULZ

JE SUPPOSE QUE LA COMPAGNIE D'UN CHIEN T'AIDE À SURMONTER LE SPLEEN.
JE NE SAURAIS TROP DIRE.
SOLDATS, FAITES VOS ADIEUX AU GÉNÉRAL WASHINGTON ! NOUS SOMMES MUTÉS.
5-31
SCHULZ
© 1997 United Feature Syndicate, Inc.

www.unitedmedia.com

C'EST MON ÉMISSION PRÉFÉRÉE.

POURQUOI ? ILS NE FONT QUE DANSER.
www.unitedmedia.com
6-2
© 1997 United Feature Syndicate, Inc.

J'AIME REGARDER DES VIEILLARDS QUI S'AMUSENT.
SCHULZ

© 1997 United Feature Syndicate, Inc.
6-3
REVENEZ TOUS ! RETOUR AU JEU !
JE NE BOUGE PAS, MOI ! ET EST-CE QUE LE COURTAUD VA QUELQUE PART ?
ET RATER L'OCCASION DE S'AMUSER ?
SCHULZ

UN GAMIN A PIQUÉ UNE COLÈRE AU JARDIN D'ENFANTS.

IL CRIAIT ET SE DÉBATTAIT, ET NE VOULAIT PAS SE RELEVER.
www.unitedmedia.com

J'AI DÛ INTERVENIR PERSON-NELLEMENT.

TU FERAIS MIEUX DE TE RELEVER TOUT DE SUITE AVANT QUE LA ZAMBONI NE PASSE SUR TOI.
6-4
© 1997 United Feature Syndicate, Inc.

IL S'EST RELEVÉ.
SCHULZ

OUI MADAME. NOTRE PREMIÈRE ANNÉE AU JARDIN D'ENFANTS S'EST VITE ENVOLÉE.
6-5
www.unitedmedia.com

JE SUPPOSE QUE VOUS SEREZ PARTIE TOUT L'ÉTÉ, N'EST-CE PAS ?
© 1997 United Feature Syndicate, Inc.

À QUEL NUMÉRO POURRA-T-ON VOUS JOINDRE ?
SCHULZ

6 JUIN 1944 IN MEMORIAM
SCHULZ
© 1997 United Feature Syndicate, Inc.

QUE FAITES-VOUS ICI ? JE CROYAIS QUE TU VOULAIS VOIR LE WESTERN.
www.unitedmedia.com

MOI SI, MAIS LUCY VOULAIT VOIR L'ÉPOPÉE SPATIALE.
6-7

NOUS AVONS VOTÉ...
© 1997 United Feature Syndicate, Inc.

J'AI PERDU UN CONTRE UN.
SCHULZ

www.unitedmedia.com

ÇA SEMBLE UNE BELLE COLONIE DE VACAN-CES.
PAS DU TOUT.

AUX ABORDS D'UN LAC.
ET APRÈS ?

À PROXIMITÉ DES MONTAGNES.
BUTTES.
© 1997 United Feature Syndicate, Inc.

IL Y A DES CHEVAUX.
UN CHEVAL.

ON DIT QUE LA BOUFFE EST BONNE.
DES CÉRÉA-LES.

DEVRIONS-NOUS Y SÉJOUR-NER ?
POURQUOI PAS ?
SCHULZ 6-9

ON DIT QUE TU N'IRAS PAS EN COLONIE DE VACANCES CET ÉTÉ.
QUAND ON A UN CHIEN, IL FAUT RESTER CHEZ SOI ET LE RENDRE HEUREUX. VOILÀ CE QU'ON DOIT FAIRE. ON DOIT RESTER CHEZ SOI.
EXCEPTION FAITE DES DÉPLACEMENTS NÉCESSAIRES POUR ACHETER LA PÂTÉE DU CHIEN.
© 1997 United Feature Syndicate, Inc.
6-10
SCHULZ

JE CROIS AVOIR ENTENDU FRAPPER.
www.unitedmedia.com

PROBABLEMENT PERSONNE D'IMPORTANT.
6-11
© 1997 United Feature Syndicate, Inc.

TU AS RAISON.
NOUS N'AVONS AUCUNE IMPORTANCE.

ANDY ? OLAF ? QUE FAITES-VOUS ICI ?
LA VIE À LA FERME NE CADRAIT PAS AVEC NOS ASPIRATIONS.

NOUS CHERCHONS UN ENDROIT OÙ NOUS ÉTABLIR.
TU POURRAIS NOUS CONSEILLER EN FONCTION DE NOS ASPIRATIONS.

JE SONGE PARFOIS À MES FRÈRES ANDY ET OLAF ET JE ME DEMANDE CE QU'ILS SONT EN TRAIN DE FAIRE.

JE T'OFFRE UN CHIEN À TITRE GRATUIT.

IL CHERCHE UN FOYER ET TU CHERCHES UNE PRÉSENCE RASSURANTE.

IL EST ISSU D'UNE LIGNÉE DE CHAMPIONS. TU VEUX UN CHIEN ? VOICI CELUI QU'IL TE FAUT !

OÙ ÇA ?

JE T'OFFRE CE CHIEN GRATUITEMENT. IL S'APPELLE OLAF.

EST-CE QU'IL MORD ?
SEULEMENT SI UNE PIZZA L'ATTAQUE.

SAIT-IL DES TRUCS ?
IL T'EN PRÉSENTE UN.

IL SE TIENT DEBOUT DEVANT LA MAISON SANS TOMBER.

www.unitedmedia.com

AIMERAIS-TU AVOIR UN CHIEN GRATUIT ? VOICI ANDY ET VOICI OLAF.
www.unitedmedia.com

MAMAN DIT QUE LES CHIENS DONNENT DU SOUCI, QU'ILS ABOIENT TROP ET QUE NOTRE JARDIN EST TROP PETIT.

AU MOINS, N'A-T-ELLE RIEN DIT À PROPOS D'UNE PRÉFÉRENCE POUR LES CHATS.
© 1997 United Feature Syndicate, Inc.

MAMAN VEUT SAVOIR SI TU AS UN CHAT À DONNER ?
6-16

VOUS DEVRIEZ SONGER À RENDRE VISITE À VOTRE FRÈRE SPIKE. IL CONNAÎT LA SOURIS MICKEY.
www.unitedmedia.com

MICKEY A DE NOMBREUX AMIS À HOLLYWOOD.
6-17

JE PARIE QU'IL PEUT VOUS TROUVER DU BOULOT DANS UN STUDIO. QU'EN DITES-VOUS ?
© 1997 United Feature Syndicate, Inc.

QUI EST CE MICKEY ?

J'AI ÉCRIT À SPIKE. IL VOUS ATTEND.

N'OUBLIEZ PAS : LA LUNE SE TROUVE TOUJOURS AU-DESSUS DE HOLLYWOOD. ALORS, SUIVEZ LA LUNE !
6-18
© 1997 United Feature Syndicate, Inc.

À NOTRE DERNIER PÉRIPLE, IL DISAIT QUE L'ÉTOILE POLAIRE EST TOUJOURS AU-DESSUS DE MINNEAPOLIS.

Un mois après le départ de Andy et Olaf, j'ai reçu un billet de Spike.

Il m'apprenait qu'ils n'étaient jamais venus.
www.unitedmedia.com

Je me souviens leur avoir fait mes adieux ce matin-là.
6-19
© 1997 United Feature Syndicate, Inc.

Ce fut la dernière fois que je les vis.
SCHULZ

JE CROYAIS QUE TU ALLAIS À L'ÉCOLE BIBLIQUE.
LE COURS EST ANNULÉ.

ÇA SIGNIFIE QUE J'AI MÉMORISÉ TOUTES CES CITATIONS DE LA BIBLE POUR RIEN ?
6-20
www.unitedmedia.com

« JÉSUS VERSA DES LARMES. » « SOUVENEZ-VOUS DE LA FEMME DE LOTH. »

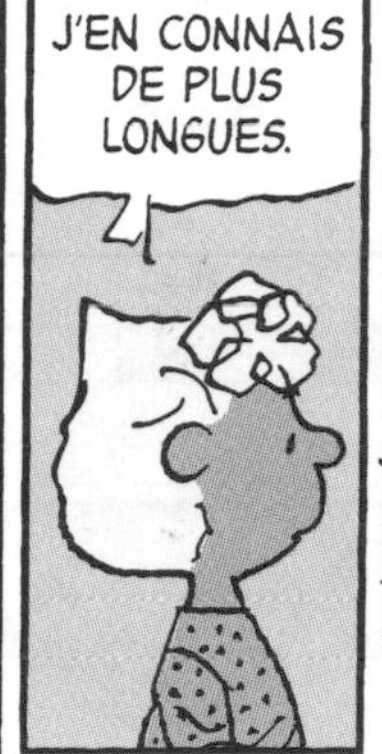
J'EN CONNAIS DE PLUS LONGUES.
© 1997 United Feature Syndicate, Inc.

« TU ES L'HOMME ! » « LIBÉREZ MON PEUPLE ! »
SCHULZ

L'AUTRE ÉQUIPE DÉBLATÈRE CONTRE NOUS, CHARLIE BROWN.

MAIS JE LEUR AI CLOUÉ LE BEC...
6-21
www.unitedmedia.com

JE LEUR AI DIT : « VOUS VOUS CROYEZ GÉNIAUX ALORS QU'À VOTRE ÂGE MOZART COMPOSAIT DES SYMPHONIES ! »
© 1997 United Feature Syndicate, Inc.

ILS EN ÉTAIENT BOUCHE BÉE.
JE TE CROIS.
SCHULZ

PEANUTS
par SCHULZ

© 1997 United Feature Syndicate, Inc.

OUF !

QUELQU'UN PARMI VOUS A SOIF ?

6-22
QU'EST-CE QU'ELLES ONT, LES BABINES DE CHIEN ?
SCHULZ
www.unitedmedia.com

J'ESPÈRE QUE LA TENTE N'EST PAS TROP LOURDE, MARCIE.
CE N'EST PAS LA TENTE, MONSIEUR. CE SONT LES GUIMAUVES.

NOUS DEVRIONS TÉLÉPHONER À CHARLIE POUR LUI DIRE QUE NOUS SOMMES AUPRÈS DU FEU ET QUE NOUS SONGEONS À LUI.

JE NE SONGEAIS PAS À LUI, MONSIEUR.
NON ? !

SALUT CHARLIE ! MARCIE ET MOI ÉTIONS AUPRÈS DU FEU ET NOUS NE SONGIONS PAS À TOI.

J'ÉCRIS À CHARLIE POUR LUI DIRE COMBIEN IL NOUS MANQUE ET QUE NUIT ET JOUR NOUS SONGEONS À LUI.

POUR LE DUPER, J'ÉCRIS SUR DU PAPIER ROSE. IL CROIRA QU'IL S'AGIT D'UNE LETTRE D'AMOUR.

MAIS **C'EST** UNE LETTRE D'AMOUR.
VRAIMENT ?

JE TE TROUVE INJUSTE AVEC CHARLES, MONSIEUR.
6-26
www.unitedmedia.com

UN JOUR TU LUI ÉCRIS QUE NOUS NE SONGEONS PAS À LUI ET LE LENDEMAIN TU LUI ÉCRIS QU'IL NOUS MANQUE.
© 1997 United Feature Syndicate, Inc.

C'EST LÀ UN JEU D'AMOUREUX, MONSIEUR.
LES AMOUREUX SONT AU-DESSUS DES LOIS, MARCIE.
SCHULZ

DES IMPRIMÉS PUBLICITAIRES ! VOILÀ TOUT CE QUE NOUS RECEVONS !
6-27
www.unitedmedia.com

NOUS AVONS REÇU UNE PUB ADRESSÉE À TON NOM.

« TU NOUS MANQUES ET JOUR ET NUIT NOUS SONGEONS À TOI »... SUR DU PAPIER ROSE.
© 1997 United Feature Syndicate, Inc.

PROBABLEMENT UN FABRICANT DE PNEUS.
SCHULZ

BONJOUR CHARLES, C'EST TOI ? JE T'APPELLE CAR MARCIE PRÉTEND QUE J'AI ÉTÉ INJUSTE AVEC TOI.
6-28
www.unitedmedia.com

ELLE DIT QUE JE TE RACONTE QUE NOUS NE SONGEONS PAS À TOI ET ENSUITE QUE TU NOUS MANQUES.

SUIS-JE INJUSTE, CHARLIE ? QU'EN PENSES-TU ? DIS-MOI.
© 1997 United Feature Syndicate, Inc.

WOUF !
SCHULZ

PEANUTS
par SCHULZ
EST-CE EUX ?

JE N'AIME PAS ÊTRE SEUL LA NUIT.
6-29

PEUT-ÊTRE NE REVIENDRONT-ILS JAMAIS ?
www.unitedmedia.com

LE GAMIN À TÊTE RONDE NE ME LAISSERAIT JAMAIS, N'EST-CE PAS ? NON, IL EN SERAIT INCAPABLE. N'EST-CE PAS ?

JE NE SAIS JAMAIS S'ILS REVIENDRONT JUSQU'À CE QUE J'APERÇOIVE LES PHARES PERÇANT L'OBSCURITÉ .

JE NE DEVRAIS PAS ATTENDRE LEUR RETOUR.

MAIS C'EST PLUS FORT QUE MOI.

EST-CE EUX ?
© 1997 United Feature Syndicate, Inc.

NON, CE N'ÉTAIT PAS EUX.

LES PHARES QUE L'ON ESPÈRE TROP NE SE MANIFESTENT JAMAIS.
SCHULZ

SALUT CHARLIE ! NOUS VOILÀ DE RETOUR. AS-TU APPRÉCIÉ MA LETTRE ?
www.unitedmedia.com

JE ME SUIS ÉPANCHÉE DANS CETTE LETTRE, CHARLIE.
6-30

JE VOULAIS QUE TU SACHES QUE, MALGRÉ LA DISTANCE ENTRE NOUS, TU N'AS JAMAIS QUITTÉ MON ESPRIT. POÉTIQUE, NON ?
© 1997 United Feature Syndicate, Inc.

QUOI QU'IL EN SOIT, AS-TU APPRÉCIÉ MA LETTRE ?
QUELLE LETTRE ?
SCHULZ

QUELLE LETTRE ? ! QUE VEUX-TU DIRE, QUELLE LETTRE ? !
www.unitedmedia.com

JE T'AI ÉCRIT UNE LETTRE D'AMOUR, CHARLIE, SUR DU PAPIER ROSE ! !
7-1

C'ÉTAIT DONC ÇA ? J'AI CRU QU'IL S'AGISSAIT D'UN IMPRIMÉ PUBLICITAIRE ET JE L'AI JETÉ AU REBUT.
© 1997 United Feature Syndicate, Inc.

OUIN !
UNE PUB D'AMOUR ! ELLE EST BIEN BONNE !
SCHULZ

CHARLES CROYAIT QUE TA LETTRE D'AMOUR ÉTAIT UN IMPRIMÉ PUBLICITAIRE, AUSSI L'A-T-IL MISE AU REBUT. HA HA HA HA HA !

TU NE DEVRAIS PAS RIRE, MARCIE. TU DEVRAIS ÉPROUVER DU CHAGRIN À MON ENDROIT.
www.unitedmedia.com

QUE DIS-TU DE ÇA, MONSIEUR ? AI-JE L'AIR ASSEZ CHAGRIN ?
7-2
© 1997 United Feature Syndicate, Inc.

UN IMPRIMÉ PUB... HA HA HA HA !
TROP, C'EST TROP.
SCHULZ

JE CROIS AVOIR APPRIS UNE CHOSE, MARCIE. UN CŒUR BRISÉ RESTE TOUJOURS FRAGILE.
7-3

NE DONNE JAMAIS TON CŒUR À UN CRÉTIN.

VOILÀ UN SAGE CONSEIL, MONSIEUR. JE SAURAI ME LE RAPPELER.

BONG !

JE T'AI FRAPPÉ À LA TÊTE, AUSSI JE CROIS QUE TU AS DROIT À UN LANCER FRANC.

7-4
BONG !

JE ME SUIS SOUVENT DEMANDÉ SI TU APERCEVAIS LA MER DE LÀ-HAUT.
7-5

NON ? ALORS JE CROIS QUE TU PEUX RETIRER LE GILET DE SAUVETAGE.

PEANUTS
par SCHULZ
MERCI DE PERMETTRE À TON CHIEN DE VENIR JOUER AVEC MOI.

© 1997 United Feature Syndicate, Inc.
VOICI LE JEU QUE J'AI INVENTÉ ET QUELQUES-UNES DES RÈGLES...

JE VAIS LANCER LA BALLE ET TU IRAS LA CHERCHER, D'ACCORD ?
7-6

SI TU L'ATTRAPES APRÈS UN REBOND, TU AS DROIT À TROIS POINTS

DEUX REBONDS T'ACCORDENT DEUX POINTS, TROIS REBONDS UN POINT. SI TU NE L'ATTRAPES PAS, J'OBTIENS DIX POINTS
www.unitedmedia.com

IL Y A UNE AUTRE RÈGLE MAIS J'AI OUBLIÉ DE QUOI IL S'AGIT.

JE M'EN SOUVIENS À PRÉSENT. PAS DE MISE EN ÉCHEC.
SCHULZ

JE ME SOUVIENS QUAND LA SOURIS MICKEY M'A OFFERT CES JOLIES BASKETS JAUNES.
7-7

J'AI VOULU FAIRE UN GESTE AFIN DE LUI TÉMOIGNER MON APPRÉCIATION.

JE LUI AI OFFERT MON CHAPEAU MAIS IL NE COUVRAIT PAS SES OREILLES.
SCHULZ

NAVRÉE D'AVOIR LOUPÉ CE COUP, ENTRAÎNEUR. JE VOUS PRÉSENTE MES EXCUSES SINCÈRES.

JE PRÉFÈRE QUE TU ATTRAPES UNE BALLE HAUTE PLUTÔT QUE DE PRÉSENTER TRENTE FOIS DES EXCUSES SINCÈRES.

QUE DIRAIS-TU DE TRENTE MOTS D'EXCUSE DÉNUÉS DE SINCÉRITÉ ?
7-8
SCHULZ

LE PLAN GOUVERNEMENTAL SUR LE BASKETBALL DE MINUIT N'A PAS ENCORE ATTEINT TOUS LES CANTONS ÉLOIGNÉS.
7-9
SCHULZ
© 1997 United Feature Syndicate, Inc.

7-10
UNE SŒUR AÎNÉE EST PAREILLE À UN COMPAS QUI VOUS AIDE À NAVIGUER SUR LES EAUX DE L'EXISTENCE.
EST-CE EXACT ?
JE N'Y SUIS PAS.
SCHULZ
© 1997 United Feature Syndicate, Inc.

© 1997 United Feature Syndicate, Inc.
SCHULZ
7-11

JE PARIE QUE MA VIE AURAIT ÉTÉ DIFFÉRENTE SI MAMAN M'AVAIT OBLIGÉ À SUIVRE DES LEÇONS DE PIANO.
© 1997 United Feature Syndicate, Inc.
7-12
SCHULZ

PEANUTS
par
SCHULZ

ALLEZ CHARLIE BROWN ! METS LE GROS LARD HORS JEU !

ÇA VA... ÉLIMINONS LE MAIGRICHON !

© 1997 United Feature Syndicate, Inc.

HÉ, TÊTE DE NŒUD, QUI A DIT QUE TU SAVAIS FRAPPER ?

HÉ, COU DE DINDON, TU ATTRAPES COMME MA GRAND-MÈRE !

NOUS AVONS ENCORE PERDU. À PROPOS, CERTAINS JOUEURS DÉSIRENT TE PARLER.
JOUEURS ? QUELS JOUEURS ?
7-13
www.unitedmedia.com

LE GROS LARD, LE MAIGRICHON, LA TÊTE DE NŒUD ET LE COU DE DINDON.
JE RENTRE CHEZ MOI PAR UN AUTRE CHEMIN.
SCHULZ

VOILÀ QUE JE NE FAIS CONFIANCE À PERSONNE.
PAS MÊME À MOI ?
www.unitedmedia.com

MA CONFIANCE EN TOI EST AUSSI GRANDE QUE LA DISTANCE À LAQUELLE TU PEUX LANCER TA COUVERTURE.

7-14
© 1997 United Feature Syndicate, Inc.

MA SŒUR A CONFIANCE EN MOI DANS UN RAYON DE DEUX MÈTRES.
SCHULZ

QU'EST-CE QUI EST PLUS LONG QU'UN FIL QUI FERAIT LE TOUR DU MONDE ?
www.unitedmedia.com

UN FIL QUI RELIERAIT LA TERRE ET LE SOLEIL ?
© 1997 United Feature Syndicate, Inc.

7-15
NON, UNE LISTE DE LECTURES D'ÉTÉ.
SCHULZ

MARCIE, QUE DOIS-JE FAIRE LORSQUE J'AURAI LU TOUS LES LIVRES DE CETTE LISTE ?

RÉDIGER UNE DISSERTATION SUR CHACUN.
7-16
www.unitedmedia.com

ENTENDU, MARCIE.

DIS À L'INSTITUTRICE COMBIEN TU LES AS APPRÉCIÉS.
© 1997 United Feature Syndicate, Inc.

ENTENDU, MARCIE.
SCHULZ

LES CHIENS ONT DE LA VEINE. ILS N'ONT PAS À PERDRE LEUR TEMPS À LIRE « SILAS MARNER ».
J'AI LU UN LIVRE À PROPOS D'UN CHAT.
7-17
www.unitedmedia.com

ALORS QUE J'ÉTAIS À L'ÉCOLE DE DRESSAGE.

« SILAS MARNER » EST UNE LECTURE D'ÉTÉ OBLIGATOIRE.
LE LIVRE SUR LE CHAT AUSSI.
© 1997 United Feature Syndicate, Inc.
SCHULZ

MARCIE, J'AI TERMINÉ LA LECTURE DE « SILAS MARNER ». QUE DOIS-JE FAIRE ENSUITE ?
www.unitedmedia.com

À PRÉSENT, TU RÉDIGES UNE DISSERTATION.

TU RIGOLES ? SUR CE LIVRE ?
SI. L'AS-TU VRAIMENT LU ?
© 1997 United Feature Syndicate, Inc.

OUI MAIS SANS Y PORTER ATTENTION.
SCHULZ
7-18

J'AI TROUVÉ LA LISTE DES JOUEURS DE L'ÉQUIPE ADVERSE.

« CLAY, BLAKE, MORGAN, TRAVIS, TRENT, HUNTER. »
www.unitedmedia.com

« BAILY, MADISON, TAYLOR ET JUSTIN. »
© 1997 United Feature Syndicate, Inc.

PLUS PERSONNE NE SE PRÉNOMME BILL.
SCHULZ
7-19

PEANUTS

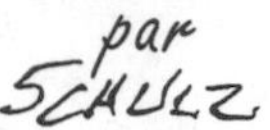
par
SCHULZ

K
K
A
A

TU AS JOUÉ UN NEUF, ALORS JE VAIS JOUER UN...

DIX !

TU AS JOUÉ UN DIX, JE VAIS JOUER UN...

VALET !
© 1997 United Feature Syndicate, Inc.

TU AS JOUÉ UN VALET, ALORS JE VAIS JOUER UNE...

REINE !

TU AS JOUÉ UNE REINE, JE VAIS JOUER UN...

ROI !
www.unitedmedia.com

À QUEL JEU JOUEZ-VOUS, LES GARÇONS ?

7-20
NOUS N'EN AVONS AUCUNE IDÉE.
SCHULZ

JE VOUS EN PRIE, QUELQU'UN SAIT-IL SI MON AVION EST PRÊT À DÉCOLLER ?
7-21

IL S'AGIT LÀ D'UNE DONNE EXTRAORDINAIRE.
♠KJ7 ♥AK109 ♦J87 ♣AJ5
♠3 ♥7632 ♦1094 ♣Q7642
N O E S
♠1098542 ♥Q ♦AKQ62 ♣9
♠AQ6 ♥J854 ♦53 ♣K1083
www.unitedmedia.com

NON, JE SAIS QUE VOUS NE JOUEZ PAS AU PAQUET VOLEUR.
© 1997 United Feature Syndicate, Inc.

J'AI COMPRIS. TU N'ES PAS OBLIGÉE DE HURLER.
www.unitedmedia.com

JE NE HURLAIS PAS. JE M'EXPRIMAIS AVEC FERMETÉ.
7-22
© 1997 United Feature Syndicate, Inc.

DANS CE CAS, REVENONS AU HURLEMENT.

ÉLOIGNE-TOI, CABOT !
© 1997 United Feature Syndicate, Inc.
7-23

AÏÏE !

SIMULATION RÉUSSIE.

QUAND JE ME BALLADE, JE ME SENS EN SÛRETÉ SI MON CHIEN M'ACCOMPAGNE.
© 1997 United Feature Syndicate, Inc.
7-24

MOI DE MÊME.

Chère correspondante,
EST-CE QUE TA CORRESPONDANTE COMPRENDS LE FRANÇAIS ?
www.unitedmedia.com

Comment vas-tu ? Je vais bien.
7-25
© 1997 United Feature Syndicate, Inc.

BIEN SÛR.
LIT-ELLE LES TACHES D'ENCRE ?

© 1997 United Feature Syndicate, Inc.
LE DENTISTE M'A DIT QUOI FAIRE POUR ÉVITER LA CARIE DENTAIRE.
QUE DIRAIS-TU D'UN TRIPLE BOGEY ?
7-26

REPRENONS DU DÉBUT !
PEANUTS
par SCHULZ

© 1997 United Feature Syndicate, Inc.

C'EST BON, RERUN. ÇA SUFFIT ! TU JOUERAS AVEC NOUS UNE AUTRE FOIS.

QUELQU'UN D'AUTRE OCCUPERA TA POSITION.
www.unitedmedia.com

UN CHIEN ? !

COMME C'EST GÊNANT D'ÊTRE REMPLACÉ PAR UN CHIEN !

IMAGINE MA GÊNE À PRÉSENT !
7-27

SCHULZ

JE L'IGNORE...
JE NE L'APERÇOIS PAS ICI.

JE RETOURNE À L'ATELIER DU PRO
ET JE ME RENSEIGNE.
7-28

QUELQU'UN A-T-IL RAPPORTÉ UN
HAMBURGER AU FROMAGE ?
SCHULZ

JE FRAPPE CE BALLON POUR QU'IL
ATTEIGNE L'AUTRE CÔTÉ DE
L'OCÉAN OÙ UN AUTRE ENFANT
LE TROUVERA

C'EST UN LAC.
7-29

QUE QUELQU'UN PRÉVIENNE
CE PETIT.
SCHULZ

QUE REGARDES-
TU LÀ ?
JE CHERCHE DES
VAISSEAUX
PIRATES.
7-30

JE CROIS EN
AVOIR VU UN.

OÙ ? JE NE
VOIS RIEN.
LÀ-BAS !

J'HÉSITE... CE PEUT ÊTRE UN
VAISSEAU PIRATE OU UNE
ZAMBONI.
SCHULZ

UN VAISSEAU PIRATE ! JE VOIS UN VAISSEAU PIRATE !
7-31
www.unitedmedia.com

VOICI BEAGLE NOIR, LE CÉLÈBRE PIRATE QUI FOULE LA TERRE FERME EN COMPAGNIE DE SES HOMMES.

© 1997 United Feature Syndicate, Inc.

DITES À CONRAD QU'IL NE FAUT PORTER QU'UN CACHE-ŒIL.
BONG !

DES PIRATES VIENNENT DE DÉBARQUER SUR LA PLAGE ! UNE VRAIE BANDE DE DURS !
www.unitedmedia.com

JE ME DEMANDE S'ILS VIENNENT DÉTERRER UN TRÉSOR.
8-1
© 1997 United Feature Syndicate, Inc.

ON PROPOSE CHOCOLAT, FRAISE ET CARAMEL AU BEURRE MAIS JE SUIS CONTENT QUE NOUS AYONS TOUS CHOISI LA GLACE VANILLE.

« NON ! » VOILÀ MA NOUVELLE PHILOSOPHIE.
8-2
www.unitedmedia.com

JE ME MOQUE DE CE QUE DISENT LES AUTRES, LA RÉPONSE EST : « NON ! »
C'EST TA NOUVELLE PHILOSOPHIE, HEIN ?

OUI ! JE VEUX DIRE : « NON ! »
© 1997 United Feature Syndicate, Inc.

TU AS SABORDÉ MA NOUVELLE PHILOSOPHIE.

haricot vert = fagiolo verde
PEANUTS
par
SCHULZ

JE VAIS JOUER UN TOUR À MON CHIEN
www.unitedmedia.com

AVANT DE LUI DONNER À MANGER, JE VAIS LUI PRÉSENTER CE MENU MAIS IL NE SAURA PAS QU'IL EST EN ITALIEN.

QU'EST-CE QU'ON VA RIGOLER !

8-3
BONSOIR, MONSIEUR. VOULEZ-VOUS VOIR LE MENU ?

© 1997 United Feature Syndicate, Inc.

ET CE TOUR ? ÉTAIT-CE RIGOLO ?
PLUTÔT RIGOLO.
SCHULZ

HÉ, L'ENTRAÎNEUR ! JE DÉPOSE UNE PLAINTE POUR BRUTALITÉ AU SIÈGE DE LA LIGUE. TU ES TROP DUR AVEC NOUS.
www.unitedmedia.com

NOTRE LIGUE N'A PAS DE SIÈGE.

© 1997 United Feature Syndicate, Inc.

8-4
JE L'AI DÉPOSÉE CHEZ TON RECEVEUR.

VOILÀ UNE BONNE HISTOIRE.
www.unitedmedia.com

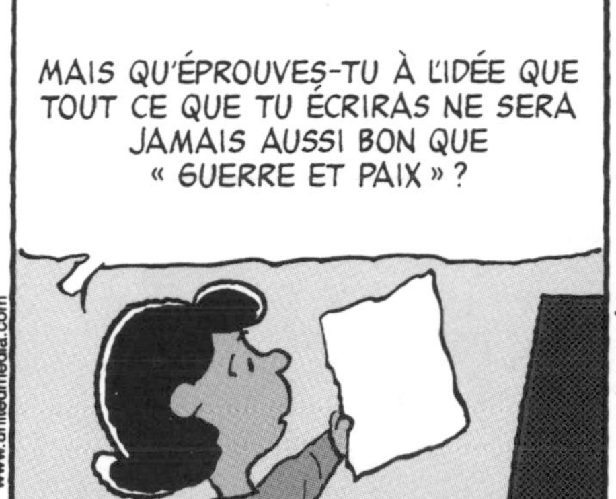

MAIS QU'ÉPROUVES-TU À L'IDÉE QUE TOUT CE QUE TU ÉCRIRAS NE SERA JAMAIS AUSSI BON QUE « GUERRE ET PAIX » ?
© 1997 United Feature Syndicate, Inc.

SCHULZ
N'EN DIS RIEN À MAMAN.
HAPPY BIRTHDAY, AMY
8-5

Chère correspondante.
De nouveau je prends la plume

TU L'AS LAISSÉ TOMBER.
ZUT !
www.unitedmedia.com

À PRÉSENT, TU DOIS ÉCRIRE : « DE NOUVEAU JE PRENDS LA PLUME MAIS JE L'AI LAISSÉ TOMBER, ALORS JE LA REPRENDS ENCORE. »
© 1997 United Feature Syndicate, Inc.
8/6

N'AS-TU RIEN D'AUTRE À FAIRE ?
SCHULZ

POURQUOI NE TROUVES-TU PAS UN CORRESPONDANT ? TU CESSERAIS ALORS DE M'IMPORTUNER.

JE DÉTESTE ÉCRIRE DES LETTRES. J'ADORE EN RECEVOIR MAIS JE DÉTESTE EN ÉCRIRE.

TU POURRAIS LES ÉCRIRE À MA PLACE.
ME LAISSERAIS-TU LIRE CELLES QUE TU RECEVRAIS EN RETOUR ?

TU RÊVES OU QUOI ? !

APRÈS TOUT, JE NE SUIS PAS SI LAIDE !

CELA A TOUJOURS ÉTÉ MON AMBITION...

N'ÊTRE PAS SI LAIDE.

BIENVENUE AU MATCH DES ÉTOILES !

NOUS SOMMES HEUREUX D'ANNONCER QUE L'ASSISTANCE A DOUBLÉ PAR RAPPORT À L'AN DERNIER.

L'AN DERNIER, J'ÉTAIS LA SEULE.

PEANUTS
par SCHULZ

8-10
© 1997 United Feature Syndicate, Inc.
www.unitedmedia.com

ON CONSEILLE À QUI TOMBE D'UN CHEVAL DE SE REMETTRE EN SELLE AUSSITÔT.
NE BOUGE PAS. JE VAIS CHERCHER UN CHEVAL.
SCHULZ

© 1997 United Feature Syndicate, Inc.
8-11

www.unitedmedia.com

RÈGLE DE BASE EN DOUBLE !
SCHULZ

DEMANDE À TON PÈRE S'IL VEUT QUE JE RATISSE LES FEUILLES.
www.unitedmedia.com

NOS FEUILLES SONT ENCORE AUX ARBRES.

T'AS RAISON.
© 1997 United Feature Syndicate, Inc.
8/12

DOIS-JE REVENIR DEMAIN ?
SCHULZ

JE CROYAIS QUE TU RATISSAIS LES FEUILLES MORTES POUR GAGNER DE L'ARGENT DE POCHE.
www.unitedmedia.com

LES FEUILLES SONT ENCORE AUX ARBRES.
© 1997 United Feature Syndicate, Inc.

8-13
RATISSE LES BRANCHES.
SCHULZ

JE CROIS AVOIR TROUVÉ.

8-14
DEUX MILLE FOIS LE TOUR DU LAC ÉQUIVAUT À UN KILOMÈTRE.

NON, SI TU TOMBES TU DOIS RECOMMENCER.
© 1997 United Feature Syndicate, Inc.

J'AI UN PROBLÈME MARCIE ET JE VEUX TON AVIS.
www.unitedmedia.com

JE DEVAIS SUIVRE DES COURS D'ÉTÉ MAIS J'AI COMPLÈTEMENT OUBLIÉ.

JE NE SAIS QUE DIRE, MONSIEUR. JE N'AI JAMAIS RIEN FAIT D'AUSSI IDIOT.
8-15

LORSQUE NOUS IRONS À L'UNIVERSITÉ MARCIE, NOUS NE SERONS PAS COLOCATAIRES.
© 1997 United Feature Syndicate, Inc.

SI ÇA MORD, TU SAISIS LE FILET DE PÊCHE.
www.unitedmedia.com

8-16
VAS-Y !
© 1997 United Feature Syndicate, Inc.

PEANUTS
par
SCHULZ

8-17

Zoum !

© 1997 United Feature Syndicate, Inc.

www.unitedmedia.com

ouille !

bong !

MON CHIEN HABITUEL DORT SUR LE TOIT DE SA NICHE.
SCHULZ

DES VISITEURS TE DEMANDENT.

DE QUI S'AGIT-IL ?
© 1997 United Feature Syndicate, Inc.
www.unitedmedia.com

NOUS VOILÀ ! JE PENSE QUE NOUS NOUS SOMMES TROMPÉS DE DIRECTION.
SCHULZ
8-18

VOUS AVEZ ERRÉ PENDANT TROIS MOIS ? !
NOUS N'AVONS PAS TROUVÉ LE DÉSERT MAIS NOUS AVONS VU L'ALASKA.
NOUS AVONS MÊME TROUVÉ DU TRAVAIL COMME CHIENS DE TRAÎNEAU.
© 1997 United Feature Syndicate, Inc.
8-19
SCHULZ

DEMANDE À TON CHIEN S'IL VEUT JOUER AVEC MOI.
www.unitedmedia.com

8-20
© 1997 United Feature Syndicate, Inc.

IL Y A UN PETIT CRÉTIN DEVANT QUI VEUT JOUER AVEC TOI.
DEMANDE-LUI S'IL PARLE INUKTITUT.
SCHULZ

8-21
VOICI POUR VOUS... TROIS CHIENS, TROIS GAMELLES.
www.unitedmedia.com

LE DÎNER ! ENFIN, LE DÎNER ! HOURRA POUR LE DÎNER !
© 1997 United Feature Syndicate, Inc.

QU'EST-CE QUE ÇA SIGNIFIE ?
NAVRÉ, IL S'ATTEND À CETTE RÉACTION.
CHAQUE SOIR ? C'EST EMBAR-RASSANT.
SCHULZ

NOUS AVONS UN PROBLÈME.

MON PÈRE DIT QUE NOUS NE POUVONS NOURRIR TROIS CHIENS.
© 1997 United Feature Syndicate, Inc.

8-22
BIEN SÛR, L'UN DE TES FRÈRES BOUFFE DAVANTAGE QUE VOUS TOUS RÉUNIS.
LEQUEL ?
SCHULZ

NOUS REPRENONS LA ROUTE. TA FAMILLE N'A PAS LES MOYENS DE NOURRIR TROIS CHIENS.

NOUS PARTONS À LA RECHERCHE DE NOTRE FRÈRE SPIKE. IL CONNAÎT LA SOURIS MICKEY QUI EST TRÈS RICHE ET QUI NOUS TROUVERA UN JOB À HOLLYWOOD.
© 1997 United Feature Syndicate, Inc.

SOYEZ PRUDENTS EN TRAVERSANT LA RUE.
SCHULZ
8-23

PEANUTS
par SCHULZ
DEMANDE-LUI TOI-MÊME.

NON, RERUN, NON.
POURQUOI PAS ?

TU ES TROP JEUNE ET TROP PETIT POUR JOUER DANS NOTRE ÉQUIPE.

C'EST DE LA DISCRIMINATION !

PEUT-ÊTRE MAIS JE N'Y PEUX RIEN.
QUE DIS-TU DE CELA ?
© 1997 United Feature Syndicate, Inc.

DE QUOI PARLES-TU ?
J'AI L'ORDONNANCE D'UN TRIBUNAL QUI VOUS SOMME DE M'ACCEPTER DANS VOTRE ÉQUIPE.
www.unitedmedia.com
8-24

UNE ORDONNANCE ?
JE VAIS AU CHAMP CENTRE.

OÙ S'EST-IL PROCURÉ UNE ORDONNANCE DE TRIBUNAL ?

MAMAN A TOUJOURS SOUHAITÉ QUE JE SOIS PROCUREUR.
SCHULZ

C'est alors que mes frères Andy et Olaf partirent à la recherche de notre frère Spike qui habite le désert.
www.unitedmedia.com

8-25
© 1997 United Feature Syndicate, Inc.

JE NE CROIS PAS QU'IL S'AGISSAIT DU DÉSERT.
CETTE GAMINE M'A JETÉ UN ŒIL BIZARRE.
SCHULZ

QU'EST-CE QUI CLOCHE, OLAF ? AVONS-NOUS RATÉ NOTRE VIE ?
www.unitedmedia.com

TOUT SERA DIFFÉRENT QUAND NOUS TROUVERONS SPIKE ET QU'IL NOUS PRÉSENTERA À LA SOURIS MICKEY.

IL NOUS PISTONNERA SUR LES TALK-SHOWS.
© 1997 United Feature Syndicate, Inc.

NOUS NE PARLONS PAS.
NOUS FERONS SEMBLANT D'ÊTRE DES GAMINS DÉGUISÉS EN CHIENS.
SCHULZ
8-26

© 1997 United Feature Syndicate, Inc.
NOUS NE DEVRIONS PAS AVOIR À NOUS CACHER DANS UNE GRANGE, OLAF. NOUS AURIONS PEUT-ÊTRE DÛ ÊTRE DES CHIENS DE CHASSE.
J'AI DÉJÀ CHASSÉ UN LIÈVRE. IL M'A RI AU NEZ ET PAR LA SUITE NOUS SOMMES DEVENUS BONS AMIS.
SCHULZ
8-27

UN AUTRE JOUR DE MARCHE !

8-28
© 1997 United Feature Syndicate, Inc.

MAMAN ! J'AI TROUVÉ UN CHIEN ! !
SCHULZ

Lorsque la fillette s'empara de Andy et rentra chez elle, Olaf se retrouva seul.

© 1997 United Feature Syndicate, Inc.

Que devait-il faire ? Poursuivre seul sa route ou attendre et voir ce qu'il adviendrait de Andy ?
8-29

CE N'ÉTAIT PAS MON IDÉE.
SCHULZ

PSST, ANDY ! JE SUIS VENU T'AIDER À T'ÉCHAPPER.
JE NE PEUX M'ÉCHAPPER. JE SUIS ATTACHÉ À UN ARBRE.

© 1997 United Feature Syndicate, Inc.

SCHULZ
8-30

PEANUTS
par
SCHULZ

OUI, MONSIEUR. IL FAUT ACHETER NOS FOURNITURES SCOLAIRES.

APRÈS TOI, MARCIE.

IL ME FAUT UN CLASSEUR, DU PAPIER, UN CALEPIN, SIX CRAYONS, UN STYLO À BILLE...
8-31

IL ME FAUT UN CLASSEUR, DU PAPIER, UN CALEPIN, SIX CRAYONS, UN STYLO À BILLE...

www.unitedmedia.com
SCHULZ

DES SACS À LUNCH.
© 1997 United Feature Syndicate, Inc.

Les jours devinrent des semaines.

On n'entendit plus parler de Andy et Olaf.
www.unitedmedia.com

Je les imagine errant dans le désert, marchant sans cesse à la recherche de leur frère Spike.
© 1997 United Feature Syndicate, Inc.

C'EST ÉCRIT : « POUR TRAVERSER LA RUE, APPUYEZ SUR LE BOUTON. »
C'EST PROBABLE-MENT UNE SUPERCHERIE.
SCHULZ
9-1

J'AI UNE NOUVELLE PHILOSOPHIE : « POURQUOI MOI ? »
9-2
www.unitedmedia.com

FAIS CECI ! FAIS CELA ! POURQUOI MOI ? VA ICI ! VA LÀ ! POURQUOI MOI ?
© 1997 United Feature Syndicate, Inc.

SI TU BOUGEAIS À PEINE, JE VERRAIS L'ÉCRAN DE TÉLÉ.
POURQUOI MOI ?
SCHULZ

RERUN, LA SEMAINE PROCHAINE NOUS RETOURNONS À L'ÉCOLE.

JE N'IRAI PAS. L'INSTITUTRICE ME DÉTESTE.
www.unitedmedia.com

TON INSTITUTRICE A DÉMÉNAGÉ. CETTE ANNÉE, TU EN AURAS UNE AUTRE.
© 1997 United Feature Syndicate, Inc.

ELLE NE ME CONNAÎT PAS ENCORE ET DÉJÀ ELLE ME DÉTESTE !
9-3
SCHULZ

9-4
« LE DÉTENTEUR DE CE BILLET ACCEPTE TOUS LES RISQUES AFFÉRENTS AU BASEBALL. »
BONG!
« SI UN MATCH RÉGLEMENTAIRE N'A PAS LIEU À CETTE DATE, CE BILLET PEUT ÊTRE... »
© 1997 United Feature Syndicate, Inc.
SCHULZ

POURQUOI TE CACHES-TU SOUS TON LIT ?
9-5

POUR ÉVITER DE RETOURNER À L'ÉCOLE.
www.unitedmedia.com

TU T'ES CACHÉ SOUS LE LIT L'AN DERNIER ET ÇA N'A RIEN CHANGÉ.
© 1997 United Feature Syndicate, Inc.

JE ME SUIS PERFECTIONNÉ ENTRE-TEMPS.
SCHULZ

9-6
TU AS JOUÉ LE ROI, ALORS JE JOUERAI L'AS.
SAGE DÉCISION.
SCHULZ
© 1997 United Feature Syndicate, Inc.

PEANUTS®
par
SCHULZ

UNE BROSSE À EFFACER ?
LE JOUR DE LA RENTRÉE SCOLAIRE

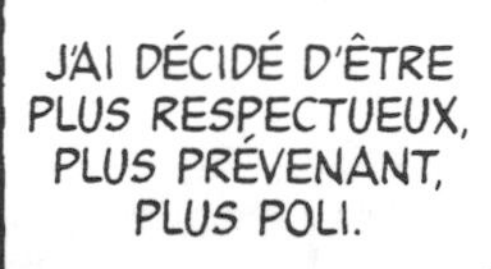
J'AI DÉCIDÉ D'ÊTRE PLUS RESPECTUEUX, PLUS PRÉVENANT, PLUS POLI.

« AUSSI, LORSQUE L'INSTITUTRICE EST ENTRÉE, JE ME SUIS LEVÉ POUR L'ACCUEILLIR. »

BONJOUR MADAME.

J'AI JETÉ UN COUP D'ŒIL AUTOUR DE MOI ET J'ÉTAIS LE SEUL À S'ÊTRE LEVÉ.

« L'INSTITUTRICE N'A RIEN DIT. ELLE M'A DÉVISAGÉ. ELLE ÉTAIT PEUT-ÊTRE SOUS LE CHOC... »
© 1997 United Feature Syndicate, Inc.
9-7
www.unitedmedia.com

C'EST ALORS QUE J'AI REÇU UNE BROSSE À EFFACER SUR L'OCCIPUT.
SCHULZ

VOUS AVEZ UNE JOLIE COIFFURE AUJOURD'HUI, MONSIEUR.
MERCI MARCIE. JE VEUX PARAÎTRE À MON AVANTAGE LORSQUE L'INSTITUTRICE ME POSERA LA...
9-8

... PREMIÈRE QUESTION.
SCHULZ

BONNE JOURNÉE À L'ÉCOLE ?
JE N'Y SUIS PAS ALLÉ. JE M'Y SUIS RENDU MAIS JE NE SUIS PAS ENTRÉ.

JE ME SUIS ASSIS SUR LES MARCHES UN MOMENT, PUIS J'AI OUVERT LA PORTE...

QUELQU'UN ICI A-T-IL BESOIN DE MOI ?
9-9

PERSONNE N'A RÉPONDU. JE SUIS RENTRÉ À LA MAISON.
SCHULZ

9-10

TU NE M'AS PAS EFFRAYÉ.

LES OISEAUX NE PEUVENT DIRE « HOU ! »
SCHULZ

J'AI LU SUR COLOMB JUSQU'À VINGT-DEUX HEURES.
J'AI MÉMORISÉ L'ORTHOGRAPHE DE CHAQUE MOT DE LA LISTE.
J'AI LU CE LIVRE DEUX FOIS.
J'AI MÉMORISÉ LA CAPITALE DE CHAQUE ÉTAT.
JE PORTE UN BRACELET DE CUIVRE.
© 1997 United Feature Syndicate, Inc.

Elle lui dit adieu et emprunta l'escalier. Il savait qu'il ne la reverrait jamais.

Il avait le cœur brisé.
www.unitedmedia.com

« Tant pis ! se dit-il. Il me reste mon chien. »
© 1997 United Feature Syndicate, Inc.

Certes, il ignorait que son chien projetait de le quitter.

www.unitedmedia.com
© 1997 United Feature Syndicate, Inc.

C'EST TOUJOURS MOI QUE L'ON BLÂME !
PEANUTS®
par SCHULZ

SI C'EST CE QUE VOUS PENSEZ TOUS, JE PRÉFÈRE PARTIR.

JE SAIS QUAND ON NE VEUT PAS DE MOI. JE SAIS QUAND ON NE M'AIME PAS. JE SAIS QUAND ON SE LIGUE CONTRE MOI.

QUAND ?

QUAND ? ! QUE VEUX-TU DIRE, QUAND ? !
www.unitedmedia.com

SAIS-TU AVEC EXACTITUDE À QUEL MOMENT ON NE VEUT PAS DE TOI, ON NE T'AIME PAS ET QUAND ON SE LIGUE CONTRE TOI ?
9-14

OU L'IMPRESSION NAÎT-ELLE UNE SEMAINE OU PEUT-ÊTRE UN MOIS AVANT ?...

© 1997 United Feature Syndicate, Inc.

PAR EXEMPLE, J'AI SU EXACTEMENT QUAND J'EN DISAIS TROP.
SCHULZ

ALLONS MARCIE ! IL FAUT NOUS ENTRAÎNER.
IL PLEUT ET JE HAIS LE FOOTBALL.

QUE CE PASSERA-T-IL SI TU TE MARIES AVEC QUELQU'UN QUI AIME ALLER VOIR LE FOOTBALL ?
MON MARI SERA TRÈS RICHE ET POSSÉDERA UNE LOGE LUXUEUSE.
9-15

© 1997 United Feature Syndicate, Inc.

N'Y COMPTE PAS TROP, MARCIE.
SCHULZ

NAVRÉ DE MON RETARD, MADAME.
9-16
www.unitedmedia.com

UN PROBLÈME À LA MAISON.
© 1997 United Feature Syndicate, Inc.

NOTRE CUISINE ÉTAIT REMPLIE DE CHAMAILLERIES.
SCHULZ

MONSIEUR LE JUGE, VOICI MA CLIENTE ALICE, LA PLAIGNANTE, QUI EST TOMBÉE DANS UN TERRIER DE LAPIN.
9-17
www.unitedmedia.com

NOUS AVONS L'INTENTION DE PROUVER LA NÉGLIGENCE DU PROPRIÉTAIRE TERRIEN QUI A FAILLI À SON OBLIGATION DE SIGNALER LE TERRIER DE LAPIN.
© 1997 United Feature Syndicate, Inc.

COMMENT S'EST DÉROULÉE TA PLAIDOIRIE ?
LE JUGE M'A SOMMÉ DE RETIRER MON CHAPEAU DANS LA SALLE D'AUDIENCE.
SCHULZ

VITE MARCIE ! IL ME FAUT UN CRAYON ET DU PAPIER.
www.unitedmedia.com

ET AUSSI UNE GOMME À EFFACER, UN STYLO ET UNE RÈGLE.
© 1997 United Feature Syndicate, Inc.

9-18
NON MADAME, JE SUIS SON CADDIE.
SCHULZ

OUI MADAME, JE CONNAIS LA RÉPONSE MAIS JE PRÉFÈRE LA GARDER POUR MOI SEULE...
www.unitedmedia.com

JE NE VEUX HUMILIER PERSONNE EN AFFICHANT MA SUPÉRIORITÉ INTELLECTUELLE. JE SUIS HUMBLE EN FAIT.
9-19
© 1997 United Feature Syndicate, Inc.

LA RÉPONSE EST « DOUZE ».
C'EST CE QUE J'ALLAIS RÉPONDRE.
SCHULZ

PRÉPARE-TOI À UN RUDE COMBAT, CHARLIE ! QUELQUES-UNS D'ENTRE NOUS N'EN SORTIRONT PAS INDEMNES !
DANS CE CAS, DÉSIGNONS CELUI QUI DEVRA NOURRIR LE CHIEN.
© 1997 United Feature Syndicate, Inc.
9-20
SCHULZ

PEANUTS
par SCHULZ
CHARLIE BROWN.

VOILÀ CE QUE NOUS ALLONS FAIRE : JE VAIS TENIR LE BALLON, TU T'APPROCHERAS EN COURANT ET TU DONNERAS LE COUP D'ENVOI.

AU DERNIER MOMENT, TU ÔTERAS LE BALLON, JE PERDRAI PIED ET JE ME ROMPRAI LES OS.

PAS NÉCESSAIREMENT. LES GENS CHANGENT, LES TEMPS CHANGENT, CES CHOSES SE PRESSENTENT.

ELLE A PEUT-ÊTRE RAISON. L'AIR DU TEMPS ME SEMBLE DIFFÉRENT. LES TEMPS CHANGENT, EN EFFET.

9-21
© 1997 United Feature Syndicate, Inc.
ALORS JE VAIS BOTTER CE BALLON DE L'AUTRE CÔTÉ DE LA FRONTIÈRE !

OUILLE !
OÙ ? OÙ ? !

PROUF !
www.unitedmedia.com

NAVRÉE, CHARLIE BROWN. J'AI CRU ENTENDRE QUE LE NOUVEAU MILLÉNAIRE APPROCHAIT.
SCHULZ

© 1997 United Feature Syndicate, Inc.
MONSIEUR, POURQUOI VOS CLUBS PORTENT-ILS DES PANTOUFLES ?
PORTE LE SAC, MARCIE.
9-22
SCHULZ

OUI MONSIEUR, IL FAUT UNE NOUVELLE GAMELLE À MON CHIEN.
www.unitedmedia.com

IL LES USE TRÈS RAPIDEMENT.

NON, JE LE NOURRIS UNE FOIS PAR JOUR.
© 1997 United Feature Syndicate, Inc.
9/23

JE T'EN PRIE ! DONNE-LUI L'ARGENT ET FILONS D'ICI.
SCHULZ

LE VENDEUR S'EST DIT ÉTONNÉ DE CE QUE TU USES AUTANT DE GAMELLES.
www.unitedmedia.com

IL DIT QUE SON CHIEN A EU LA MÊME GAMELLE TOUTE SA VIE.
© 1997 United Feature Syndicate, Inc.

IL NE LÈCHE PROBABLEMENT PAS LE FOND DU PLAT.
9-24
SCHULZ

OUI MONSIEUR, IL FAUT UNE NOUVELLE GAMELLE

L'AUTRE N'A PAS RÉSISTÉ LONGTEMPS. VOYEZ, IL EST PASSÉ AU TRAVERS.

NOUS L'AVONS ACHETÉE HIER, VOUS VOUS SOUVENEZ ?

NON, JE CROIS QU'IL A BOUFFÉ LE TICKET DE CAISSE.
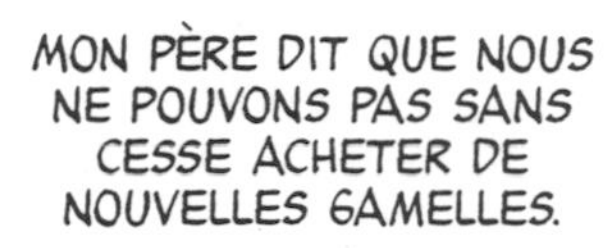
MON PÈRE DIT QUE NOUS NE POUVONS PAS SANS CESSE ACHETER DE NOUVELLES GAMELLES.

IL DIT QU'IL LUI FAUDRA CONTRACTER UN NOUVEAU PRÊT HYPOTHÉCAIRE SUR LA MAISON ET LE SALON DE BARBIER.

JE N'EN SAIS RIEN MAIS IL PLAISANTAIT PEUT-ÊTRE.

JE NE PEUX PAS RIRE PENDANT QUE JE MANGE.

MA FAÇON DE JOUER VOUS MET EN ROGNE, N'EST-CE PAS, MONSIEUR ?

PEANUTS®
par
SCHULZ

TENTONS MON JEU SECRET, MONSIEUR.

NOUS AVONS UN JEU SECRET, CHARLES. IL EST SI SECRET QUE PERSONNE N'EN A ENTENDU PARLER !

JE CROIS QU'ILS AIMERAIENT SAVOIR DE QUOI IL RETOURNE, MONSIEUR.

NE LEUR DIS RIEN !
JE NE FERAIS JAMAIS UNE CHOSE PAREILLE.

UN SECRET EST SACRÉ ! ON NE DOIT JAMAIS DIVULGUER UN SECRET.
9-28

LE TRUC A FONCTIONNÉ, MONSIEUR. À TROP LES ENNUYER, ILS ONT RENONCÉ À JOUER.
SCHULZ

« Je suis un bouvier des Flandres, dit-il. Je dois souvent m'absenter. Je dois garder les moutons. »
9-29

« Dans ce cas, pars ! dit-elle. Mais ne crois pas que je vais t'attendre. »

Il sut qu'il ne la reverrait jamais et que la situation était sans issue.

VOILÀ UNE BONNE HISTOIRE. PORTE-T-ELLE UN TITRE ?
« LES BOUVIERS SE CACHENT POUR PLEURER ».

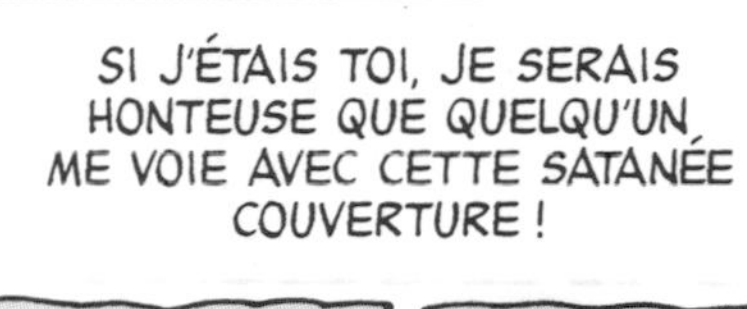
SI J'ÉTAIS TOI, JE SERAIS HONTEUSE QUE QUELQU'UN ME VOIE AVEC CETTE SATANÉE COUVERTURE !

ET CE CHIEN AVACHI SUR TES GENOUX ME SEMBLE ENCORE PLUS RIDICULE !

JE LA MORDRAIS MAIS ELLE NE SE TROUVE PAS DU BON CÔTÉ.
9-30

COMME JE VOIS LES CHOSES, TU AS DEUX AVENUES.

TU M'AIDES À ÉPELER CES MOTS...
10-1

OU TU PORTES LE BLÂME POUR L'ENCRE QUE J'AI VERSÉE SUR LE COL DU GAMIN ASSIS DEVANT MOI.

VOYONS QUEL EST LE PREMIER MOT À ÉPELER.
TU CHERCHES TOUJOURS LA FACILITÉ, N'EST-CE PAS ?

OUI MADAME. C'EST MON CHIEN À L'EXTÉRIEUR.
© 1997 United Feature Syndicate, Inc.

C'EST QU'IL N'APPRÉCIE PAS QUE JE LE LAISSE SEUL TOUTE LA JOURNÉE.
10-2
www.unitedmedia.com

NON, IL M'ATTENDRA SUR LE PERRON. IL TROUVERA DE QUOI S'OCCUPER.

SCHULZ

OUI MADAME. MON CHIEN M'ATTEND TOUJOURS SUR LE PERRON.
www.unitedmedia.com

NON, J'AI TENTÉ DE LUI EXPLIQUER QUE LES CHIENS SONT INTERDITS À L'ÉCOLE.
10-3
© 1997 United Feature Syndicate, Inc.

TENEZ, IL M'A DEMANDÉ DE VOUS MONTRER SON PASSEPORT.
SCHULZ

PARFOIS JE RESTE ÉVEILLÉ LA NUIT À ME POSER DES QUESTIONS.
www.unitedmedia.com

EXISTE-T-IL UNE CHOSE QUE L'ON PUISSE FAIRE AFIN DE RÉUSSIR SA VIE ?
© 1997 United Feature Syndicate, Inc.

« DES EXERCICES POUR LE DOS ! »
10-4
SCHULZ

PEANUTS
par
SCHULZ

QUE DESSINES-TU ?
UNE VACHE.

CE N'EST PAS UNE VACHE.
C'EST QUE JE N'AI JAMAIS VU DE VRAIE VACHE.

ON DIRAIT PLUTÔT UN CHIEN.

© 1997 United Feature Syndicate, Inc.
POURQUOI N'EN FAIS-TU PAS UN CHIEN ?

COMMENT FAIRE ?
www.unitedmedia.com

10-5
AJOUTE « WOUF ! »
SCHULZ

© 1997 United Feature Syndicate, Inc.
« ET L'APÔTRE PAUL S'ENFUIT APRÈS QUE SES AMIS L'EURENT HISSÉ DE L'AUTRE CÔTÉ DU MUR CACHÉ DANS UN PANIER »
JE ME DEMANDE CE QUI POUVAIT MOTIVER UNE TELLE FUITE.
IL ÉTAIT PROBABLEMENT LAS DE SIGNER DES AUTOGRAPHES.
10-6
SCHULZ

10-7
© 1997 United Feature Syndicate, Inc.
SOIS FIÈRE DE MOI, MARCIE. J'AI PASSÉ UNE HEURE ENTIÈRE À JOUER SUR LE GREEN.
JE SUIS FIÈRE DE TOI, MONSIEUR. ET TU N'AS ÉGARÉ QUE CINQ BALLES.
SCHULZ

SI JE SORS LE ROI, JE SAIS QU'IL SORTIRA L'AS. MAIS SI JE SORS LE VALET, IL SORTIRA LA REINE.

J'AIMERAIS CONNAÎTRE SES PENSÉES.
www.unitedmedia.com

10-8
© 1997 United Feature Syndicate, Inc.
J'AIMERAIS CONNAÎTRE SES PENSÉES.
SCHULZ

CE GOLFEUR N'AVAIT VRAIMENT PAS DE VEINE...
ALORS IL DÉCIDE D'EN FINIR ET DE SE JETER DANS LE NIAGARA DANS UN SAC DE GOLF ! HA HA HA !
PORTE LES CLUBS, MARCIE !
© 1997 United Feature Syndicate, Inc.
10-9
SCHULZ

L'HERBE LONGUE EST PLUTÔT FOURNIE, MONSIEUR.
SI NOUS NOUS PERDONS DE VUE, NOUS NOUS REVERRONS PEUT-ÊTRE DANS UN MONDE MEILLEUR.
TROUVE LA BALLE, MARCIE !
© 1997 United Feature Syndicate, Inc.
SCHULZ
10-10

© 1997 United Feature Syndicate, Inc.
10-11
JE CROIS QU'IL VA PLEUVOIR. JE DÉTESTE GRAVIR LES COLLINES. LE SAC EST TROP LOURD. J'AI MAL AUX PIEDS ET J'AI PEUR DES COULEUVRES TAPIES DANS L'HERBE LONGUE. JE NE VEUX PLUS FAIRE LE CADDIE.
VRAIMENT ? POURQUOI ?
SCHULZ

PEANUTS
par SCHULZ
JE REDOUTE CE MOMENT.

LE VÉTÉRINAIRE A TÉLÉPHONÉ. C'EST LE MOMENT DE TON BILAN MÉDICAL.

IL A PLUTÔT BIEN ACCUEILLI LA NOUVELLE, NON ?

IL N'A PAS TENTÉ DE FUIR OU PROTESTER.
JE ME DEMANDE POURQUOI ?
© 1997 United Feature Syndicate, Inc.
www.unitedmedia.com

OUI MADAME, MON CHIEN EST ICI POUR SON BILAN.
10-12

IL N'A PAS SEMBLÉ INQUIET, N'EST-CE PAS ?
IL S'EST PEUT-ÊTRE SOUVENU DE QUELQUES PAROLES QUI LUI ONT DONNÉ DU COURAGE.

« QUI SURVIVRA AUJOURD'HUI ET RENTRERA SAIN ET SAUF AU BERCAIL SE TIENDRA DIGNE ET FIER LORSQU'ON ÉVOQUERA CE JOUR. »
SCHULZ

10-13
TU AS REÇU UNE LETTRE DE TON FRÈRE SPIKE.

« Cher Snoopy, Qu'est-il advenu de Andy et Olaf ? Je les croyais en route vers chez moi. »
www.unitedmedia.com

« Mon ami Mickey est venu hier et a laissé un cadeau pour eux. »
© 1997 United Feature Syndicate, Inc.

JOLIES BASKETS.
SCHULZ

JE PRÉFÈRE NE PAS LE LUI DIRE. DIS-LE-LUI, TOI !

JE NE PEUX PAS. DIS-LE-LUI !
© 1997 United Feature Syndicate, Inc.

JE T'EN PRIE, DIS-LUI ! JE N'AI PAS LE COURAGE.
www.unitedmedia.com

10-14
NOUS CROYONS NOUS ÊTRE ENCORE TROMPÉS DE ROUTE.

ANDY ! OLAF ! QUE FAITES-VOUS ICI ?

NOUS N'AVONS PAS TROUVÉ LE DÉSERT.
C'EST RIDICULE !

EN FAIT, NOUS AVONS TROUVÉ LE MAUVAIS DÉSERT.
AS-TU DÉJÀ VU LES PYRAMIDES AU CLAIR DE LUNE ?
© 1997 United Feature Syndicate, Inc.
10-15 SCHULZ

Sur ce, Andy et Olaf reprirent la route à la recherche de leur frère Spike.

Cette fois, je les fis accompagner par un guide chevronné qui les conduirait à destination.

10-16
SCHULZ

QUE DIT-IL ?
10-17

IL DIT QUE NOUS NE POUVONS PLUS AVANCER CAR LA TERRE EST PLATE ET QUE, SI NOUS FAISIONS UN PAS DE PLUS, NOUS TOMBERIONS DANS LE VIDE.

JE ME DEMANDE S'IL A RAISON.

IL N'Y A QU'UNE FAÇON DE LE DÉCOUVRIR.
OLAF !
SCHULZ

10-18
TU AS REÇU UNE CARTE POSTALE DE ANDY.

« CHER SNOOPY, NOUS AVONS EU DES DIFFICULTÉS MAIS À PRÉSENT TOUT VA BIEN. »

« T'ÉCRIRAI DAVANTAGE PLUS TARD. »

« P.S. : OLAF FAIT DIRE QUE LA TERRE EST RONDE. »
SCHULZ

PEANUTS
par SCHULZ
DRELIN !

CHARLIE, T'ENNUIES-TU DE MOI ?
10-19

EST-CE QUE QUOI ?
© 1997 United Feature Syndicate, Inc.

T'ENNUIES-TU DE MOI, CHARLIE ? EST-CE QUE JE TE MANQUE ? TU NE COMPRENDS DONC RIEN ? !

QUI PARLE ?

QUE VEUX-TU DIRE, QUI PARLE ? ! C'EST MOI, CHARLIE. QUI VEUX-TU QUE CE SOIT ? ! !

OH !
www.unitedmedia.com

« OH » ? QUE VEUX-TU DIRE ? « OH ! » EST-CE LE SEUL MOT QUE TU CONNAISSES ?

NAVRÉ. JE SONGEAIS À AUTRE CHOSE. JE DOIS NOURRIR MON CHIEN.

MINUTE CHARLIE ! NE RACCROCHE PAS ! DIS QUELQUE CHOSE !

WOUF !

CHARMANT !
SCHULZ

IL Y A BEAUCOUP D'ARGENT À GAGNER EN PATINAGE ARTISTIQUE MARCIE.
10-20

QU'EST-CE QUE TU LIS ?

« COMMENT CONDUIRE UNE ZAMBONI ».
SCHULZ

VINGT-QUATRE !
10/21

CHARTREUSE VINGT-QUATRE !

C'EST MIEUX EN COULEUR, HEIN MADAME ?
SCHULZ

NON MADAME, JE N'AI PAS DE COUVERTURE POUR LA SIESTE.

MON FRÈRE EST LE SEUL DE LA FAMILLE QUI A UNE COUVERTURE ET JE NE VEUX PAS LUI RESSEMBLER.
10-22

JE PRÉFÈRE M'INSTALLER ICI ET LIRE LE JOURNAL.

« DÉCAPOTABLE 1964, TOIT AMOVIBLE, HABITACLE ROUGE, 19 000 $ » VOUS DEVRIEZ FAIRE UNE OFFRE, MADAME.
SCHULZ

DISONS QUE NOUS SOMMES MARIÉS ET QUE TU ES AU SOUS-SOL EN TRAIN DE JOUER DU PIANO...

PROUF !

D'ACCORD, DISONS QUE TU ES DANS LE GARAGE EN TRAIN DE JOUER DU PIANO.
SCHULZ
10-23

10-24
QUOI ENCORE ?
SCHULZ

10-25

LES AUTRES SONT TOUTES ALLÉES DE CE CÔTÉ.
SCHULZ

?
PEANUTS
par SCHULZ

© 1997 United Feature Syndicate, Inc.

10-26

www.unitedmedia.com

SCHULZ

EN ARTS PLASTIQUES, NOUS UTILISONS DES CRAIES À COLORIER.

NOUS AVONS TOUT APPRIS SUR LES COULEURS
PAR EXEMPLE ?

LE GROS LARD ASSIS À CÔTÉ DE MOI S'APPROPRIE TOUTES LES BELLES COULEURS.
10-27

HÉ TOI ! DONNE-MOI LE CRAYON ROUGE !
JE L'AI LANCÉ DANS LA CORBEILLE. SI TU LE VEUX, COURS LE CHERCHER !

TU VEUX MON POING SUR LE NEZ ?
ESSAIE VOIR ET JE T'EN DONNERAI DEUX

10-28
PEUT-ÊTRE QUE CE TON DE VERT FERA L'AFFAIRE.

OUI MONSIEUR LE DIRECTEUR.

CE GROS GAMIN S'APPROPRIAIT TOUTES LES CRAIES.

ENSUITE IL A MENACÉ DE ME DONNER UN COUP DE POING.
10-29

SA MÈRE A PORTÉ PLAINTE CONTRE MOI ? !

VOUS SAVEZ CE QUE JE PENSE, MONSIEUR ?

VOUS ET MOI DEVRIONS DÉJEUNER ENSEMBLE AFIN D'EN DISCUTER.

JE NE PEUX PAS ME RENDRE À L'ÉCOLE. JE SUIS SUSPENDU PENDANT UNE JOURNÉE.

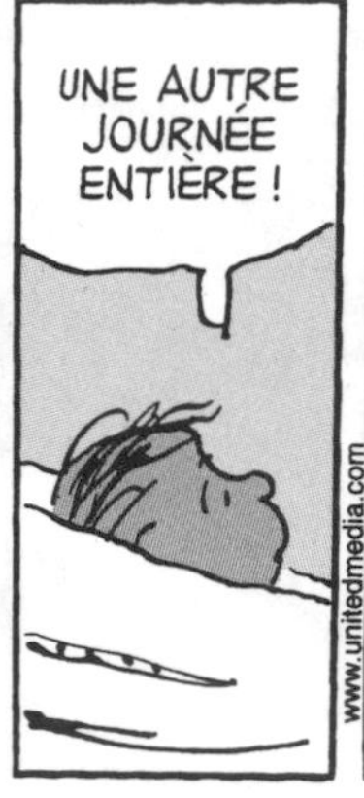
UNE AUTRE JOURNÉE ENTIÈRE !

DANS PLUSIEURS ANNÉES, TU SAIS CE QUE LES GAMINS DIRONT DE MOI ?

UN JOUR DE PLUS À L'ÉCOLE ET IL AURAIT ÉTÉ MOINS CRÉTIN

OÙ DONC EST LE GROS LARD ?
SA MÈRE L'A INSCRIT À UNE AUTRE ÉCOLE.

ALORS OÙ SONT LES CRAIES DE COULEUR ?

JE PRENDS TOUJOURS DU BLEU POUR FAIRE LE CIEL.

UN JOUR, LES CHIENS APPRENDRONT À VOLER.

NOUS AVONS APPRIS À NAGER. POURQUOI N'APPRENDRIONS-NOUS PAS À VOLER ?

J'IMAGINE LA CHOSE. DES MILLIONS DE CHIENS S'ENVOLANT VERS LE SUD AVANT L'HIVER.

LES BEAGLES MENANT TOUS LES AUTRES.

PEANUTS
par SCHULZ

DEMANDE À TON CHIEN S'IL VEUT JOUER AU BASKET-BALL AVEC MOI.

11-2

© 1997 United Feature Syndicate, Inc.

www.unitedmedia.com

JE NE SAIS PAS OÙ IL EST MAIS JE DOUTE QUE ÇA L'INTÉRESSE.
SCHULZ

GÉNIAL ! ÇA ME PLAÎT BEAUCOUP.

IL NE MANQUE PLUS QU'UN TITRE ACCROCHEUR.

Dix choses idiotes que font les chiens pour gâcher leurs vies
SCHULZ
11-3

TU N'IGNORES PAS QUE FAIRE LE CHIEN DE GARDE EST TA PRINCIPALE OCCUPATION.
11-4

JE M'INTERROGE À SAVOIR SI TU ÉCRIS PLUS QUE TU N'ASSURES LA SURVEILLANCE.

SI UN CAMBRIOLEUR SE PRÉSENTE, JE L'ASSOMME AVEC LA MACHINE À ÉCRIRE.
SCHULZ

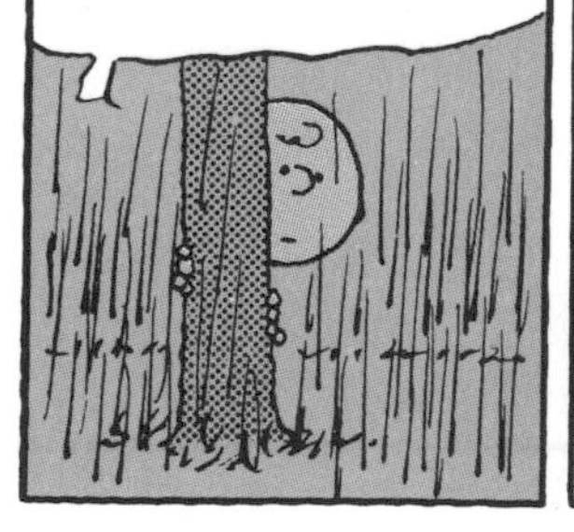
VOICI LA MAISON OÙ LA PETITE ROUQUINE HABITE.
LORSQU'ELLE SORTIRA, JE LA SALUERAI.

ELLE DIRA : « POURQUOI RESTES-TU SOUS LA PLUIE ? »
11-5

JE DIRAI : « PLEUT-IL VRAIMENT ? »

ELLE DIRA ENSUITE : « SAPRISTI, QUEL CRÉTIN ! »

DANSER SOUS LA PLUIE EST ROMANTIQUE. SE CACHER DERRIÈRE UN ARBRE SOUS LA PLUIE N'A RIEN DE ROMANTIQUE.
SCHULZ

REGARDE CES LIÈVRES ! VA LES CHERCHER !
www.unitedmedia.com

11-6

© 1997 United Feature Syndicate, Inc.

IL DISENT QU'IL ME FAUT PRENDRE RENDEZ-VOUS
SCHULZ

NON MADAME, JE N'AI PAS FAIT MES DEVOIRS.
www.unitedmedia.com

J'AI DÛ NOURRIR MON CHIEN, L'EMMENER EN PROMENADE ET LUI LIRE UN CONTE.
11-7

OUI MADAME, CHAQUE SOIR JE FAIS LA LECTURE À MON CHIEN.

ET JE N'EXIGE JAMAIS QU'IL RÉDIGE UNE DISSERTATION.
© 1997 United Feature Syndicate, Inc.

DÉSOLÉ MADAME, CELA M'A ÉCHAPPÉ.

11-8
JE FERAIS MIEUX DE TE LE DIRE TOUT DE SUITE...

OUILLE !
www.unitedmedia.com
© 1997 United Feature Syndicate, Inc.

LES MOTS QUI DONNENT LA TROUILLE. « JE FERAIS MIEUX DE TE LE DIRE TOUT DE SUITE. »
SCHULZ

PEANUTS
par
SCHULZ

HA ! JE T'AI BIEN EU ! J'AI ÉTÉ PLUS VITE QUE TOI !
11-9

ÇA PROUVE ENCORE UNE FOIS QUE CEUX QUI ONT UNE DOUDOU SONT DE LOIN SUPÉRIEURS AU COMMUN DES MORTELS.

ZOUM !
SCHULZ

C'EST UN BOUVIER DES FLANDRES ET VOICI LES MOUTONS QU'IL SURVEILLE.
www.unitedmedia.com

SOUDAIN, UN LOUP S'APPROCHE ET LE BOUVIER DÉCROCHE LE TÉLÉPHONE POUR DÉCLENCHER UNE ATTAQUE AÉRIENNE.
© 1997 United Feature Syndicate, Inc.

NOUS DEVONS DESSINER DES FLEURS À L'AQUARELLE.
ÇA SE PASSE DANS UN PRÉ.
SCHULZ
11-10

CHAQUE JOUR DES ANCIENS COMBATTANTS JE ME RENDS À LA MAISON DE BILL MAULDIN.
11-11
www.unitedmedia.com

NOUS VIDONS QUELQUES CHOPES DE COLA ET JE LUI RACONTE MA JOURNÉE D'HIER.

JE ME SUIS RENDU À LA LIBRAIRIE ACHETER UNE ŒUVRE DE ERNIE PYLE MAIS PERSONNE LÀ N'A ENTENDU PARLER DE LUI.
© 1997 United Feature Syndicate, Inc.

JE NE SAIS PAS, BILL. VRAIMENT PAS.
SCHULZ

MONSIEUR, TU SAIS QUE JE NE PEUX TE DONNER LES RÉPONSES.
www.unitedmedia.com

11-12
ZUT !
© 1997 United Feature Syndicate, Inc.

POURQUOI JE N'EN LOUERAIS PAS QUELQUES-UNES ?
SCHULZ

Cher Snoopy,
J'attends encore Andy et Olaf qui n'arrivent pas.
11-13
www.unitedmedia.com

« JE T'AVAIS ÉCRIT QUE MON AMI MILLIONNAIRE LA SOURIS MICKEY LEUR AVAIT OFFERT DES BASKETS. »

Mauvaise nouvelle ! Quelqu'un les a volées la nuit dernière.
© 1997 United Feature Syndicate, Inc.

« SI TU APERÇOIS UN COYOTE PORTANT DES BASKETS À L'EFFIGIE DE MICKEY, EMPARE-TOI DE LUI ! »
SCHULZ

AS-TU DÉJÀ APERÇU UN COYOTE, OLAF ?
11-14
www.unitedmedia.com

PAS DEPUIS NOTRE DÉPART DE LA FERME.
JE CROIS EN AVOIR VU UN.
© 1997 United Feature Syndicate, Inc.

QUI PORTAIT DES BASKETS À L'EFFIGIE DE MICKEY !
SCHULZ

Z
EN Y RÉFLÉCHISSANT, SI JE VIENS DE VOIR UN COYOTE PORTANT DES BASKETS MICKEY, EST-CE QUE ÇA SIGNIFIE QUE NOUS APPROCHONS DE CHEZ SPIKE ?
J'EN DOUTE. NOUS LE SAURIONS SI NOUS APPROCHIONS CAR ENFIN NOUS SOMMES DES CHIENS DE CHASSE PUR-SANG
11-15
© 1997 United Feature Syndicate, Inc.
SCHULZ

PEANUTS
par SCHULZ
C'EST CE QUE TU CROIS ?

AH OUI ? C'EST CE QUE TU CROIS ?
QUOI ?

C'EST MA NOUVELLE PHILOSOPHIE : « AH OUI ? C'EST CE QUE TU CROIS ? »

POURQUOI ME RACONTES-TU CELA ?
© 1997 United Feature Syndicate, Inc.

11-16
QUOI ?
POURQUOI ME RACONTER CELA ?
www.unitedmedia.com

ÇA ME PLAÎT CETTE NOUVELLE PHILOSOPHIE... « POURQUOI ME RACONTER CELA ? »

« AH OUI ? C'EST CE QUE TU CROIS ? POURQUOI ME RACONTER CELA ? »
JE N'EN PEUX PLUS !

QUOI ?

« JE N'EN PEUX PLUS ! » ÇA ME PLAÎT !
SCHULZ

C'EST ÉCRIT : « MOÏSE PASSA QUARANTE JOURS ET QUARANTE NUITS SUR LA MONTAGNE. »
UN LONG MOMENT LOIN DE CHEZ SOI.
À QUI AVAIT-IL CONFIÉ SON CHIEN ?
© 1997 United Feature Syndicate, Inc.
11-17
SCHULZ

Chère correspondante.
As-tu reçu ma dernière lettre ?

COMMENT PEUT-ELLE SAVOIR SI LA LETTRE QU'ELLE A REÇUE ÉTAIT TA DERNIÈRE LETTRE ?

ET SI ELLE NE REÇOIT PAS CELLE-CI, COMMENT SAURA-T-ELLE QUE TU LUI AS DEMANDÉ SI ELLE AVAIT REÇU TA DERNIÈRE LETTRE ?
www.unitedmedia.com

11-18
SCHULZ
© 1997 United Feature Syndicate, Inc.

?
JE DIRAIS : « TROIS SANS ATOUT. »
www.unitedmedia.com
© 1997 United Feature Syndicate, Inc.

MAIS APRÈS CETTE DONNE, VOUS FERIEZ MIEUX D'ALLER VOUS COUCHER.
SCHULZ
11-19

© 1997 United Feature Syndicate, Inc.
AÏE !
OUILLE !
AÏE !
OUILLE !
SCHULZ
11-20

DEMANDE À TA MÈRE SI ELLE VEUT ACHETER DES CARTES DE NOËL ARTISANALES.
11-21

© 1997 United Feature Syndicate, Inc.
ELLES SONT PLUTÔT MIGNONNES.
MERCI.
J'AI DESSINÉ LES LAPINS.
SCHULZ

COMBIEN DE CARTES DE NOËL AS-TU VENDU ?
AUCUNE.
www.unitedmedia.com

COMMENT POURRAS-TU ACHETER DES PRÉSENTS À TOUTES TES COPINES ?
JE N'AI PAS DE COPINES. JE N'AI QU'UN CHIEN.
© 1997 United Feature Syndicate, Inc.

11-22
QUELQU'UN A PARLÉ D'UN CHIEN ?
SCHULZ

PEANUTS
par SCHULZ

VOICI LE CÉLÈBRE PATRIOTE QUI MONTE LA GARDE AU CAMP DU GÉNÉRAL WASHINGTON.

IL APPREND SOUDAIN QUE LE GÉNÉRAL VEUT LE VOIR.

FAIRE DU FEU ? OUI, MON GÉNÉRAL, JE PEUX.

IL SUFFIT D'UNE PREMIÈRE FLAMBÉE, ENSUITE ÇA VA ALLER.

SNIF !
© 1997 United Feature Syndicate, Inc.
www.unitedmedia.com

TOUTES MES VIEILLES BANDES DESSINÉES.
11-23
SCHULZ

11-24
JE SUIS INQUIET. JE CROIS QU'IL PROJETTE PEUT-ÊTRE UN TOUR DE CARTES.
SCHULZ
© 1997 United Feature Syndicate, Inc.

POURQUOI ME REGARDES-TU COMME ÇA, MARCIE ?
PROBABLEMENT PARCE QUE TU ES LA SEULE PERSONNE QUE JE CONNAISSE QUI MANGE UN HOT-DOG EN COMMENÇANT PAR LE CÔTÉ.
11-25
SCHULZ
© 1997 United Feature Syndicate, Inc.

11-26
D'ACCORD GRAND-MÈRE, NOUS COMPRENONS. BON MATCH !

NOUS N'IRONS PAS CHEZ GRAND-MÈRE À L'ACTION DE GRÂCE CAR ELLE JOUE AU HOCKEY AVEC SON CLUB DE PATINAGE À ROUES ALIGNÉES.
www.unitedmedia.com
© 1997 United Feature Syndicate, Inc.

ET NOTRE AUTRE GRAND-MÈRE ?
ELLE FAIT UNE EXCURSION D'UN JOUR À VÉLO DE MONTAGNE.
SCHULZ

UN BONHOMME ACTION DE GRÂCE... VOILÀ QUI EST NOUVEAU !
AGITEZ LE PILON DE DINDE !
© 1992 United Feature Syndicate, Inc.
11-27-97

11-28-97
© 1992 United Feature Syndicate, Inc.

L'ACTION DE GRÂCE EST PASSÉE.

HÉ SATANÉ CHAT ! COMMENT AIMES-TU MA NOUVELLE CORBEILLE À PAPIER ?
11-29-97
© 1988 United Feature Syndicate, Inc.

N'HÉSITE PAS À L'UTILISER COMME TU L'ENTENDS.

J'AURAIS MIEUX FAIT DE ME TAIRE.

PEANUTS®
par SCHULZ
ATTRAPE-LE MARCIE !

TU AS BOTTÉ LE BALLON À LA CIME DE L'ARBRE, MONSIEUR.
JE SAIS COMMENT LE RÉCUPÉRER.

RESTE DEVANT L'ARBRE, JE VAIS PRENDRE UN ÉLAN ET SAUTER SUR TES ÉPAULES.

ZUT ! MON LACET EST DÉTACHÉ.
11-30-97
© 1988 United Feature Syndicate, Inc.

WHAM!

ALLEZ-Y MONSIEUR, JE SUIS PRÊTE !

QUE FAIS-TU PAR TERRE ?
TANT PIS, MARCIE ! SI LE BALLON VEUT RESTER LÀ-HAUT, LAISSONS-LE.

NOUS NE NOUS RENDRONS PROBA-BLEMENT JAMAIS AU SPLENDID BOWL, MONSIEUR.
SUPER BOWL, MARCIE !
SCHULZ

Cher frère Snoopy,
Cette année j'ai eu une fameuse idée.
© 1987 United Feature Syndicate, Inc.

En guise d'arbre de Noël j'ai décoré de l'herbe-à-cochon.

L'effet était vraiment réussi.
12-1-97

Puis il s'en est allé.

12-2-97

© 1989 United Feature Syndicate, Inc.

OUI MADAME, JE VEUX ACHETER UN CADEAU DE NOËL À UNE FILLE QUE JE CONNAIS.
12-3-97

JE SONGEAIS À UNE PAIRE DE GANTS.
© 1990 United Feature Syndicate, Inc.

CELA VOUS AIDERAIT-IL SI JE LA DÉCRIVAIS ?

D'ABORD, ELLE A DIX DOIGTS.

JE VOULAIS OFFRIR DES GANTS À PEGGY POUR NOËL MAIS ILS COÛTENT VINGT-CINQ DOLLARS.

ELLE SERA DÉÇUE QUAND ELLE SE RENDRA COMPTE QUE SON COPAIN EST RADIN.

JE NE SUIS PAS RADIN. SEULEMENT, JE N'AI PAS VINGT-CINQ DOLLARS.
PAIE L'ACHAT AVEC TA CARTE DE CRÉDIT.

JE N'AI PAS DE CARTE DE CRÉDIT.
ADIEU CHÈRE PEGGY !

SAIS-TU POURQUOI JE VEUX OFFRIR DES GANTS À PEGGY POUR NOËL ?

LA PREMIÈRE FOIS QUE JE L'AI VUE, J'AI REMARQUÉ COMME ELLE A DE JOLIES MAINS. JE VEUX QUE SES JOLIES MAINS SOIENT AU CHAUD.

MAIS JE N'AI PAS VINGT-CINQ DOLLARS POUR ACHETER CES GANTS.

ENVOIE-LUI UNE JOLIE CARTE ET ÉCRIS-LUI DE METTRE SES MAINS DANS SES POCHES.

REGARDE, ILS SONT LÀ, LES GANTS QUE J'AIMERAIS OFFRIR À PEGGY POUR NOËL.

OÙ VAS-TU TROUVER VINGT-CINQ DOLLARS ?
VOILÀ LE HIC.

TU POURRAIS VENDRE TON CHIEN.

JE ME RÉTRACTE. IL NE VAUT PROBABLEMENT QUE CINQUANTE CENTS.

PEANUTS
par SCHULZ

CERTAINES CIVILISATIONS ONT ADORÉ LES CHATS. PEUT-ON IMAGINER ?
12-7-97

ON LES ORNAIT DE COLLIERS DORÉS, ON LEUR ÉDIFIAIT DES SANCTUAIRES, ON LES VÉNÉRAIT.

PUIS, UN JOUR ON A DÉCIDÉ D'ADORER UNE ENTITÉ SUPÉRIEURE AUX CHATS.

ON A DÉCIDÉ D'ADORER DES ROCHERS !
HA HA HA HA !

T'AS ENTENDU, CHAT IDIOT ? ON A REMPLACÉ LE CULTE VOUÉ AUX CHATS PAR L'ADORATION DES ROCHERS !

PFFFT !

NE DISCUTE JAMAIS THÉOLOGIE AVEC UN CHAT.
HI ! HI ! HI !
SCHULZ

LUCY M'A CONSEILLÉ DE VENDRE MON CHIEN POUR POUVOIR ACHETER DES GANTS À PEGGY.
© 1990 United Feature Syndicate, Inc.

BONNE IDÉE !

C'EST LA PREMIÈRE FOIS QUE JE LE VOIS RENVERSER SA GAMELLE D'EAU.
12-8-97
SCHULZ

OUI MADAME. JE REGARDE ENCORE CES GANTS.

J'AIMERAIS POUVOIR LES OFFRIR À CETTE FILLE MAIS JE N'AI PAS L'ARGENT.
12-9-97

© 1990 United Feature Syndicate, Inc.
ÇA ME PLAÎT DE LES REGARDER ET DE FAIRE COMME SI JE LES LUI OFFRAIS.

NAVRÉ MADAME, JE NE ME RENDAIS PAS COMPTE QUE J'EMBUAIS LA VITRINE.
SCHULZ

© 1990 United Feature Syndicate, Inc.
12-10-97
VAS-Y ! DEMANDE-LUI.
EST-CE L'ARRÊT D'AUTOBUS ?
À VENDRE BALLE AUTOGRAPHIÉE PAR JOE GARAGIOLA
FAITES UNE OFFRE
JE N'AI QU'UNE PIÈCE DE DIX CENTS. ME RENDRAS-TU LA MONNAIE ?
AS-TU UNE BALLE DE BILLIE JEAN KING ?
SCHULZ

12-11-97
À VENDRE
BANDES DESSINÉES
D'OCCASION
EN AS-TU
D'AUTRES ?
© 1990 United Feature Syndicate, Inc.
SCHULZ

OUI MADAME, J'AI VENDU MA COLLECTION DE BANDES DESSINÉES. J'AI L'ARGENT. À PRÉSENT, JE PEUX ACHETER CES GANTS POUR LA FILLE QUI ME PLAÎT.
© 1990 United Feature Syndicate, Inc.

BROWNIE CHARLES !
PEGGY ! QUE FAIS-TU LÀ ?
12-12-97

DES COURSES AVEC MA MÈRE. REGARDE, JE VIENS D'ACHETER UNE PAIRE DE GANTS !
SCHULZ

AS-TU ACHETÉ CES GANTS POUR ELLE ?
J'AI VENDU MA COLLECTION DE BANDES DESSINÉES POUR OBTENIR L'ARGENT.

PUIS JE LA CROISE À LA BOUTIQUE ET ELLE ME MONTRE LES GANTS QU'ELLE VIENT D'ACHETER !
© 1990 United Feature Syndicate, Inc.

AINSI, TU NE LUI OFFRIRAS PAS LES GANTS QUE TU AS ACHETÉS ?
POURQUOI LUI OFFRIR CE QU'ELLE POSSÈDE DÉJÀ ? !

SON SACRIFICE N'AURA PAS ÉTÉ VAIN.
SCHULZ
12-13-97

PEANUTS
par SCHULZ

POURQUOI AI-JE LE SENTIMENT QUE QUELQU'UN VIENT DE LANCER UNE BOULE DE NEIGE DANS MA DIRECTION ?

SI CETTE BOULE DE NEIGE M'ATTEINT, CELUI QUI L'A LANCÉE LE REGRETTERA POUR LE RESTE DE SA VIE !

12-14-97
© 1989 United Feature Syndicate, Inc.

FUTÉ ! TRÈS FUTÉ !
SCHULZ

J'IGNORE QUI SE CACHE DERRIÈRE CET ARBRE ARMÉ D'UNE BOULE DE NEIGE...

MAIS QUI QUE VOUS SOYEZ, VOUS FERIEZ MIEUX DE RENONCER CAR SI CETTE BOULE M'ATTEINT, VOUS PASSEREZ UN MAUVAIS QUART D'HEURE.
12-15-97
© 1991 United Feature Syndicate, Inc.

EST-CE QUE BEETHOVEN JOUAIT « PETIT PAPA NOËL » ?
12-16-97

IL S'ESTIMAIT PROBABLEMENT TROP TALENTUEUX POUR JOUER « PETIT PAPA NOËL ».
© 1992 United Feature Syndicate, Inc.

BONG !

AVOIR VÉCU À SON ÉPOQUE, JE LUI AURAIS LANCÉ : « JOUE PETIT PAPA NOËL, MON VIEUX LUDWIG ! »

12-17-97

!
© 1989 United Feature Syndicate, Inc.

DEBOUT ! LE PÈRE NOËL EST PASSÉ ET N'A RIEN LAISSÉ POUR TOI !
© 1991 United Feature Syndicate, Inc.

12-25-97
POISSON D'AVRIL !

MADAME, NOUS SOMMES ICI POUR
OUVELER SON IMMATRICULATION.
© 1988 United Feature Syndicate, Inc.

bkm grt spw
T'INQUIÈTE PAS. ELLE DIT QUE TU N'AS PAS À SUBIR DE TEST DE VISION.

12-26-97
JE NE SUIS PAS INQUIET. JE VOIS ENCORE MIEUX DE CET ŒIL

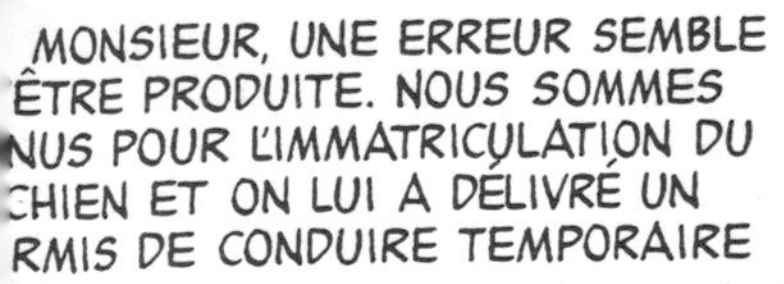
MONSIEUR, UNE ERREUR SEMBLE
ÊTRE PRODUITE. NOUS SOMMES
NUS POUR L'IMMATRICULATION DU
CHIEN ET ON LUI A DÉLIVRÉ UN
RMIS DE CONDUIRE TEMPORAIRE

© 1988 United Feature Syndicate, Inc.

EST-CE QUE JE PENSE QU'IL POURRAIT PASSER LE PERMIS DE CONDUIRE ?
12-27-97

« ARTICLE 203 : LE CLIGNOTEUR DOIT ÊTRE ACTIVÉ AVANT QUE LE VÉHICULE NE S'ENGAGE DANS UNE INTERSECTION. »
SAIT-ON JAMAIS ?

12-18-97
© 1989 United Feature Syndicate, Inc.

JE NE CROIS PAS QUE TU SOIS LE VRAI PÈRE NOËL.

SI TU ES LE VRAI PÈRE NOËL, OÙ SE TROUVENT TES LUTINS ?

12-19-97
LUTIN
LUTIN
LUTIN
© 1989 United Feature Syndicate, Inc.

C'EST LA CHOSE LA PLUS IDIOTE QUE J'AIE VUE !
TANT PIS ! JOYEUX NOËL MA CHÉRIE ! WOUF ! WOUF ! WOUF !

ILS SONT TOUS PARTIS FAIRE DES COURSES ET JE RESTE SEUL DANS L'AUTO.

JE VAIS PRENDRE PLACE ICI ET...
12-20-97

ÔTE CE CAMION DE MA ROUTE ! OÙ AS-TU APPRIS À CONDUIRE ? AU CIMETIÈRE ? TOI PAREILLEMENT, BÊTA !

... FAIRE LE CHAUFFEUR.
© 1987 United Feature Syndicate, Inc.

PEANUTS

par Schulz

DANS I SAMUEL 26 : 20, ON LIT : « ... CAR LE ROI D'ISRAËL S'EST MIS EN CAMPAGNE POUR RECHERCHER UNE PUCE COMME ON POURCHASSE LA BARTAVELLE... »

AI-JE DÉJÀ DIT AU CÉLÈBRE AVIATEUR DE LA PREMIÈRE GUERRE MONDIALE COMBIEN J'AIME SON ÉCHARPE DE SOIE ?

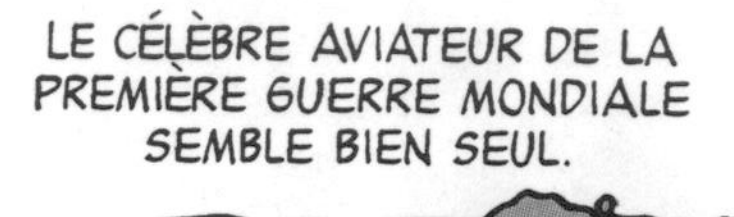

PEANUTS
par
SCHULZ

UN IGLOO MINIATURE ! MIGNON !
© 1990 United Feature Syndicate, Inc.

CE N'EST PAS UN IGLOO ? QU'EST-CE QUE C'EST ALORS ?

UN BEAGLOO ?!

12-28-97
POURQUOI APPELLES-TU ÇA UN BEAGLOO ?

NON, JE NE TROUVE PAS QUE ÇA RESSEMBLE À MON NEZ
SCHULZ

OUI MADAME. AU DÉPART, JE SUIS VENU AVEC MON CHIEN POUR OBTENIR SON IMMATRICULATION...

PAR ERREUR, IL A OBTENU UN PERMIS DE CONDUIRE TEMPORAIRE.

© 1988 United Feature Syndicate, Inc.

NON, LE CHIEN N'A PAS SON IMMATRICULATION. JE PENSE QU'UNE AUTRE ERREUR S'EST PRODUITE.
12-29-97

S'AGIT-IL D'UN PERMIS DE PÊCHE ?
SCHULZ

OUI MADAME, NOUS AVONS OBTENU L'IMMATRICULATION DU CHIEN, DE MÊME QU'UN PERMIS DE CONDUIRE ET UN PERMIS DE PÊCHE.

NON. ELLE DIT QUE TU N'AS PAS BESOIN DE PERMIS POUR ÇA.
12-30-97

SCHULZ
© 1988 United Feature Syndicate, Inc.

12-31-97
© 1992 United Feature Syndicate, Inc.
QUE VEUX-TU DIRE PAR « NOUS MANQUONS DE HORS-D'ŒUVRE » ?
SCHULZ

12-18-97

© 1989 United Feature Syndicate, Inc.

SCHULZ

JE NE CROIS PAS QUE TU SOIS LE VRAI PÈRE NOËL.

SI TU ES LE VRAI PÈRE NOËL, OÙ SE TROUVENT TES LUTINS ?

12-19-97
LUTIN
LUTIN
LUTIN
© 1989 United Feature Syndicate, Inc.

C'EST LA CHOSE LA PLUS IDIOTE QUE J'AIE VUE !
TANT PIS ! JOYEUX NOËL MA CHÉRIE ! WOUF ! WOUF ! WOUF !
SCHULZ

ILS SONT TOUS PARTIS FAIRE DES COURSES ET JE RESTE SEUL DANS L'AUTO.

12-20-97
JE VAIS PRENDRE PLACE ICI ET...

ÔTE CE CAMION DE MA ROUTE ! OÙ AS-TU APPRIS À CONDUIRE ? AU CIMETIÈRE ? TOI PAREILLEMENT, BÊTA !

... FAIRE LE CHAUFFEUR.
© 1987 United Feature Syndicate, Inc.
SCHULZ

PEANUTS®

par SCHULZ

LE CÉLÈBRE AVIATEUR DE LA PREMIÈRE GUERRE MONDIALE SEMBLE BIEN SEUL.

DEBOUT ! LE PÈRE NOËL EST PASSÉ ET N'A RIEN LAISSÉ POUR TOI !

12-25-97
POISSON D'AVRIL !
SCHULZ

OUI MADAME, NOUS SOMMES ICI POUR RENOUVELER SON IMMATRICULATION.

bkm grt spw
T'INQUIÈTE PAS. ELLE DIT QUE TU N'AS PAS À SUBIR DE TEST DE VISION.

12-26-97 SCHULZ
JE NE SUIS PAS INQUIET. JE VOIS ENCORE MIEUX DE CET ŒIL

OUI MONSIEUR, UNE ERREUR SEMBLE S'ÊTRE PRODUITE. NOUS SOMMES VENUS POUR L'IMMATRICULATION DU CHIEN ET ON LUI A DÉLIVRÉ UN PERMIS DE CONDUIRE TEMPORAIRE

EST-CE QUE JE PENSE QU'IL POURRAIT PASSER LE PERMIS DE CONDUIRE ?
12-27-97

« ARTICLE 203 : LE CLIGNOTEUR DOIT ÊTRE ACTIVÉ AVANT QUE LE VÉHICULE NE S'ENGAGE DANS UNE INTERSECTION. »
SAIT-ON JAMAIS ?
SCHULZ

PEANUTS
par
SCHULZ

UN IGLOO MINIATURE ! MIGNON !
© 1990 United Feature Syndicate, Inc.

CE N'EST PAS UN IGLOO ? QU'EST-CE QUE C'EST ALORS ?

UN BEAGLOO ?!

12-28-97
POURQUOI APPELLES-TU ÇA UN BEAGLOO ?

NON, JE NE TROUVE PAS QUE ÇA RESSEMBLE À MON NEZ
SCHULZ

OUI MADAME. AU DÉPART, JE SUIS VENU AVEC MON CHIEN POUR OBTENIR SON IMMATRICULATION...

PAR ERREUR, IL A OBTENU UN PERMIS DE CONDUIRE TEMPORAIRE.

NON, LE CHIEN N'A PAS SON IMMATRICULATION. JE PENSE QU'UNE AUTRE ERREUR S'EST PRODUITE.
12-29-97

S'AGIT-IL D'UN PERMIS DE PÊCHE ?
SCHULZ

OUI MADAME, NOUS AVONS OBTENU L'IMMATRICULATION DU CHIEN, DE MÊME QU'UN PERMIS DE CONDUIRE ET UN PERMIS DE PÊCHE.

NON. ELLE DIT QUE TU N'AS PAS BESOIN DE PERMIS POUR ÇA.
12-30-97

SCHULZ

12-31-97
QUE VEUX-TU DIRE PAR « NOUS MANQUONS DE HORS-D'ŒUVRE » ?
SCHULZ